JN094177

＼お笑い芸人と学ぶ／

13歳からの SDGs

東京都市大学大学院教授
佐藤真久 監修

お笑い芸人・お笑いジャーナリスト
たかまつなな 著

くもん出版

はじめに

小学校４年生の時、登山家の野口健さんと一緒に富士山のゴミ拾いに行ったことがあります。そこで見たのは、あまりにひどい光景でした。注射器にテレビにバスまでもが捨てられていたのです。でも、大人たちはこのあり様を知っているのに放置していました。

「大人は見て見ぬふりをする。だから、君たち子どもが変えて欲しい」

野口さんは言いました。

「じゃあ、私が伝える！」

そう心に決めた私は、無関心な人にもお笑いで社会問題を身近に感じてもらおうと、お笑い芸人になりました。そして現在は、ジャーナリストとしても取材をし、伝える活動を続けています。

あれから十数年。気づけば、私は大人になっていました。

でも、私はいい地球やいい社会を作ってきたと自信を持って言うことができません。「自分たちは関係ない」「自分たちの世代はこのまま逃げ切れる」などと考える無責任な大人たちを見てきて嫌気が差していたのに、今では自分が子どもや孫の世代に“宿題”を押し付けることになってしまいました。

学校に出張授業「笑って学ぶ SDGs」を届けるたびに、子どもたちに申し訳なく思っています。

だから、決めました。もう先延ばしにはしません。もう一度、小学生の頃に決意したように、地球のことをみんなに伝えたい。みんなで世界を変えていきたい。私たち一人ひとりの力は微力ですが、無力ではないはずです。

今、地球が悲鳴をあげています。異常気象により災害が増え、世界から戦争はなくならず、貧富の差が広がり、海をプラスチックで汚しています。これらを解決し「持続可能な社会を作ろう」というのがSDGsの考え方です。SDGsのことをよく知らなくても大丈夫。この本を読めば、少しずつ見えてくるはずです。一緒に地球や困っている人のSOSに耳を傾け、行動を起こしてみませんか？

お笑い芸人／お笑いジャーナリスト　たかまつなな

目次

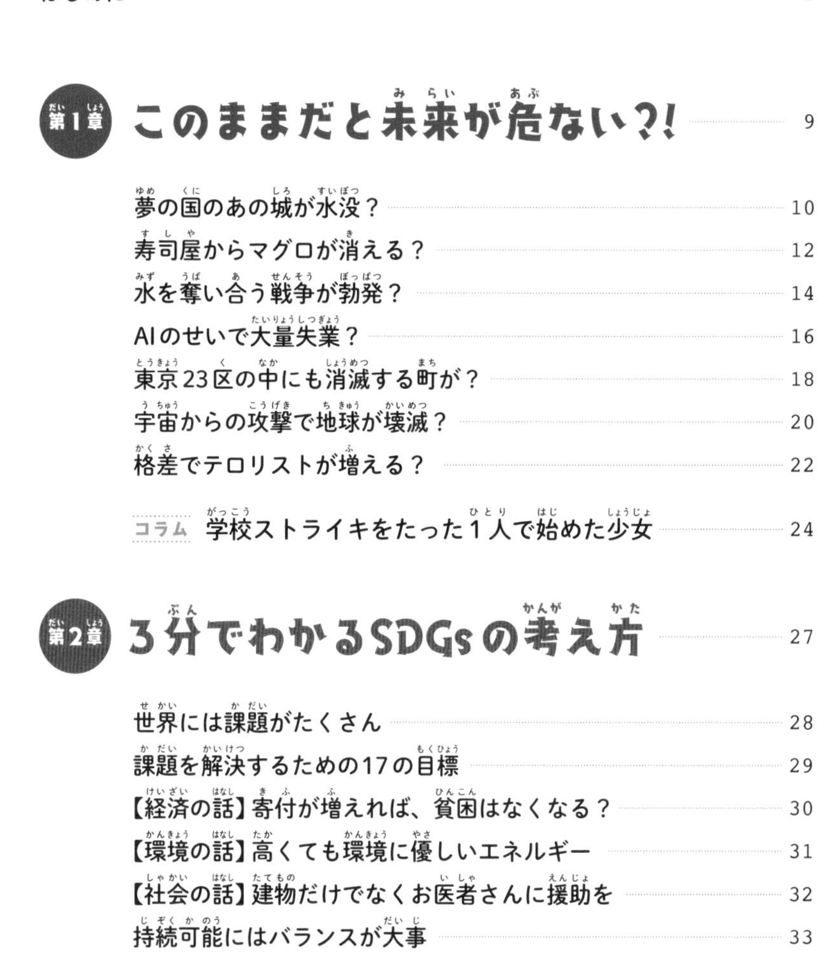

A
B

○○ HOTEL
welcome

TAXI

ヘイ！タクシー

※本書には、イラストや文章で内容を誇大表現している箇所があります。これらは何かを揶揄したり、批判したりする目的ではなく、問題点などをよりわかりやすく伝えることを目的としています。

第1章

このままだと未来が危ない?!

地球が悲鳴をあげています。私たちの将来はどうなってしまうのでしょうか。7つの未来予想を見ていきましょう。未来はもうお先真っ暗？もう、大人たちだけには任せておけません！

夢の国のあの城が水没？

みんな大好き夢の国。でも、あのテーマパークのシンボルの、あの城が水没してしまうかもしれません。

その理由は地球温暖化。このまま、地球の二酸化炭素が増え続けると、気温が上がり、氷河がとけて、海面が上昇。ある研究では、産業革命前よりも地球の気温が４度上がると、約９メートルも海面が上昇すると予測し

ています。

　そうなったら大ピンチ！　世界中で６億人の住む場所が水没し、日本でも人口の４分の１の人が引っ越しを強いられるかも。あなたの家もどうなるか……。

寿司屋からマグロが消える？

近い将来、お寿司屋さんからマグロがなくなるかもしれません。実は、太平洋クロマグロは絶滅危惧種！ 1960年代初めからの60年で親魚が約７分の１に減ったそうです。これは若いクロマグロを獲りまくったのが原因の１つだと言われています。

そして、なんと、世界中で獲れるクロマグロの約８割は、日本で消費さ

れています。私たちの欲求を満たすために、犠牲になる生き物がたくさんいるんです。

ああ、中トロや大トロが食べられないなんて悲しすぎます。ネギトロ、鉄火巻き、ツナマヨおにぎりも、この世から消えてしまう……。

水を奪い合う戦争が勃発？

水にめぐまれている日本。でも、お風呂やシャワーがぜいたくになる日が、すぐそこにせまっています。実は、これから世界は水不足になると言われているのです。人口の増加や経済発展などで、世界中で必要な水の量が、どんどん増えているからです。

すでに川の水をめぐって対立が激化している国々もあります。大きな川

にダムを作って水をひとりじめしようとする国があったり、上流の国が出した汚水で、下流の国がきれいな水を使えなかったりしています。

20世紀は、石油が戦争の原因になりました。今後は各国が水をめぐって大きな戦争をするかもしれません。

AIのせいで大量失業？

無人コンビニが登場したり、留守の間にロボットが家を掃除してくれたり、技術の進歩ってすごいですよね。でも、自動化やAI（人工知能）の発展により、仕事を奪われてしまう人が出てきています。2013年には、ホテルや会社の受付、タクシーやトラックの運転手、スポーツの審判、パソコンのデータ入力など、今あるアメリカの職業の半分が、20年後には

なくなるかもしれないという研究結果が発表されました。

単純労働をする人はAIに仕事を奪われ、AIを使いこなす人だけがガッポリ儲ける世の中に！？　変化に対応するルールを作らないと、貧富の差が今以上に大きくなってしまうかも。あなたが将来なりたい職業は、はたして大丈夫でしょうか？

東京23区の中にも消滅する町が？

デパートや水族館があり、多くの若者でにぎわう東京の池袋。でも、ある日本の研究機関が発表した「将来人口が減って存続が厳しくなりそうな“消滅可能性都市”」に、全国の市区町村の約半分が選ばれ、なんと池袋がある東京都豊島区も入ったんです！　危機を感じた豊島区は対策を始めました。

少子化で自治体の人口が減ると、税収も減ります。そうなると、私たちの生活は一変！　図書館や保育園は閉鎖、学校は廃校、子どもや高齢者への補助金の廃止、ゴミ収集は減る……こんなことが起こるかも。日本だけではなく、世界中の先進国で問題になっている少子化。あなたの住んでいる地域は大丈夫？

宇宙からの攻撃で地球が壊滅？

1945年、広島と長崎に核爆弾がアメリカによって落とされました。まだまだ世界からなくならない核爆弾。この恐ろしい兵器が将来、宇宙で使われるかもしれません。

実は核爆弾を宇宙で爆発させると、非常に恐いことが起きるんです。爆風や放射能は地表まで届きませんが、電磁パルスと呼ばれる巨大な電磁波

が地上に降り注ぎます。これが大規模な停電を引き起こし、スマホやパソコンは破壊され、冷蔵庫も信号機も電車も何もかも止まって、街は大パニック！　コンピューターも止まるので、さまざまなものが制御不能になります。飛行機が墜落、化学工場が爆発、医療機器も停止……多くの人が死んでしまうかもしれません。地上で行われる戦争はもう古いかも?!

格差でテロリストが増える？

1つの国の中でさまざまな国籍の人が暮らすのは今や当たり前ですが、日本で働く外国人は賃金が低いことが多いです。

このように格差が広がると、テロの発生が心配されます。近年発生しているフランスのテロ事件の多くは、かつて外国から移り住んできた移民やその子孫によるものです。移民の多くは貧しい地域に暮らし、安い給料で

働いています。その上、移民というだけで差別を受けることもあります。テロ組織は、そんな差別されて居場所のない移民を仲間に誘うのです。

もし日本でも格差や差別が広がれば、テロの危険性が高まります。自分や家族、友だちがテロに巻き込まれるかもしれません。

コラム

学校ストライキをたった1人で始めた少女

今、世界中で地球温暖化が加速し、異常気象が発生しています。これは、私たち人間が二酸化炭素の排出量を減らす努力を怠ったのが原因の１つにあります。

気候変動対策の国際的なルールである「パリ協定」は、世界の平均気温の上昇を、産業革命前と比べて、２度未満に抑えることを目指しています。しかし、世界中の国が自国の二酸化炭素削減目標をクリアしても、２度未満に抑えるのは不可能だとされているのです。

そんな中現れたのが、スウェーデンの若き環境活動家、グレタ・トゥーンベリさんです。

2018年、当時15歳だったグレタさんは、地球温暖化への危機感が薄い大人に抗議するため、学校を休み、スウェーデン議会前で、たった1人で座り込みを始めました。「未来のための金曜日」と呼ばれるこの学校ストライキは、SNSなどを通して世界中に広がりました。2019年9月20日には世界で一斉展開し、400万人以上が参加したと言われています。

たった1人でスウェーデンの国会議事堂前で座り込みを行うグレタさん。当時15歳
(写真：Getty Images)

その年の国連気候行動サミットでは、地球温暖化に積極的に取り組もうとしない世界のリーダーたちを前に、グレタさんは怒りに声を震わせながらスピーチをしました。

「あなたたちが話しているのは、お金のことと、経済発展がいつまでも続くというおとぎ話ばかり。恥ずかしくないんでしょうか！」

そして、スピーチをこう締めくくりました。

「世界は立ち上がった。あなたたちが望もうと、望むまいと変化は訪れる」

みなさんは、グレタさんの行動やメッセージをどう思いますか？

第2章

3分でわかるSDGsの考え方

「SDGsって何？」と言っている、何も知らないそこのあなた！　ご安心ください。日本一わかりやすく、SDGsの大事なポイントを説明します。3分だけ時間をください。

世界には課題がたくさん

環境破壊、温暖化、格差、貧困、紛争……。
人間のせいで地球が限界にきています。

自分たちの世代は幸せだから、このままでいい？
でも、自分たちの子孫は幸せに暮らせないかも。

そうならないよう、世界のみんなで課題を解決しよう。
そのために、2030年までに達成したい目標を17個作りました。
この目標のことを SDGs（エスディージーズ）と言います。

課題を解決するための17の目標

SUSTAINABLE DEVELOPMENT GOALS

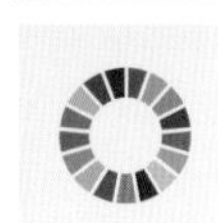

こちらが17個の目標です。そしてSDGsとは、

Sustainable（サステイナブル）
Development（ディベロップメント）
Goals（ゴールズ）

の略で、日本語に翻訳すると「持続可能な開発目標」です。

でも、「持続可能な開発目標」って言われてもピンときませんよね……。
そこで、具体例を見ながら考えていきましょう。
まずは、経済の観点です。

【経済の話】寄付が増えれば、貧困はなくなる？

貧しい人がいた時

短絡的な解決	持続可能な解決
1000円を寄付する	仕事を紹介する
次の日には食べ物がなくなる	働いて自分でお金を稼げるようになる

Aさんという貧しい人がいたとします。
Aさんのために、私たちができることは何でしょうか。

例えば、寄付。あなたがAさんに1000円の寄付をしたら、
Aさんは食べ物を買うことができます。
でも、お金はやがてなくなってしまいます。

では、Aさんに仕事を紹介し、
仕事のやり方まで教えてあげたら、どうなるでしょうか。
Aさんは自分でお金を稼ぐことができ、
毎日、食べ物を買えるようになります。

これが、経済における持続可能な解決の一例です。
続いては、環境の観点から見てみましょう。

【環境の話】高くても環境に優しいエネルギー

電気を作る時

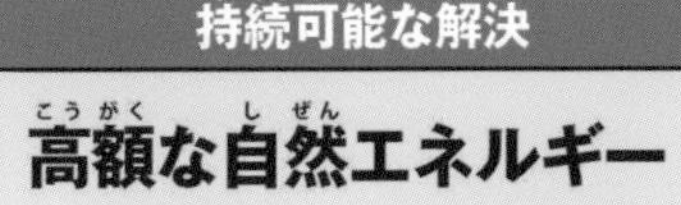

電気の通っていない地域があったとします。
ここにもし火力発電所を作ったら、電気代が安くすみ、町も発展します。
でも、二酸化炭素の排出によって、温暖化が進んでしまいます。

風力や太陽光などの自然エネルギーを使った発電だったら、どうでしょう。
電気代が上がるかもしれませんね。でも、二酸化炭素を排出しないので、温暖化が進みにくくなります。

電力においては、経済と環境のどちらを優先するかで考え方が大きく分かれます。ですが、環境の持続可能性を考えるならば、自然エネルギーの方がよりよい選択です。

では最後に、社会の観点から見てみましょう。

【社会の話】建物だけでなくお医者さんに援助を

医療支援をする時

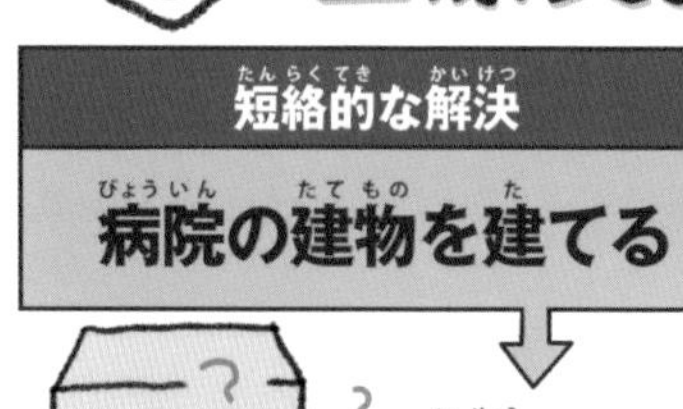

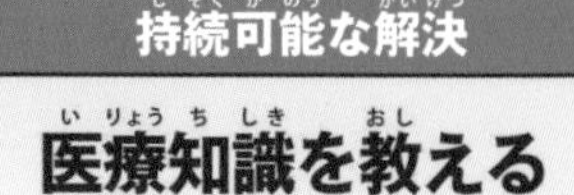

地域によっては、十分な医療が行き届いていません。
でも、病院を建てるだけでは、実はその地域の医療レベルはあまり変わりません。

では、代わりに研修でお医者さんの技術を上げたらどうでしょう。
より多くの人を治せるようになりますね。

さらに、高い技術を身につけたお医者さんが別のお医者さんを指導すれば、地域全体の医療レベルも上がります。

こうして、私たちの生活、つまり社会も持続可能になっていきます。

持続可能には
バランスが大事

このように持続可能な開発では、
「経済」、「環境」、「社会（生活）」の
バランスをうまくとらなければいけません。

これは１人ではできません。
１つの企業だけじゃできません。
１つの国だけではできません。

みんなで「協力」して、世界が「平和」な時に、
持続可能な開発ができるのです。
だから、国連で採択して、みんなでやろうと決めたんです。

これが持続可能な開発目標、すなわちSDGsなんです。

コラム

SDGsの前に取り組んでいた、MDGsとは？

SDGsは「誰一人取り残さない」というスローガンとともに2015年に国連で採択されました。

しかし、こうした国際的な開発目標が出されたのは、初めてではありません。実は2001年から2015年にも、MDGs（Millennium Development Goals／ミレニアム開発目標）という開発目標が国際社会で取り組まれていたのです。

1990年当時、アフリカやアジアなどの発展途上国の人口の半数近く（47%）が、1日1.25ドル未満で生活をしていました。日本円にして150円にも満たない金額です。

そんな中、こうした「極度の貧困」の解消を含めた8つの目標を、2015年までに達成しようという宣言が国連で2000年に出されます。これがMDGsです。

これにより、発展途上国の極度の貧困は47%から14%まで減少し、当時の国連事務総長、潘基文氏は「極度の貧困をあと一世代でこの世からなくせるところまで来た」と成果を強調しました。

しかし、国内や地域間の経済的な格差や、就職や政治

カメルーンの子どもたち。中には飢餓でお腹がふくれている子もいる（写真：著者）

参加における男女間の格差が依然として解消されずにいました。

つまり、MDGsは大きな成果をあげながらも、その裏で多くの人を取り残してしまったのです。

格差や不平等を無視した開発は、決して長続きしません。そこで、国際社会は「誰一人取り残さない」持続可能な開発目標として17個のゴールを掲げたのです。そして、それらを2030年までに達成しようと国連で採択しました。これがSDGsです。

SDGsは、発展途上国だけの話ではありません。先進国や民間企業、さらには市民一人ひとりが当事者であり、よりよい世界を作るための重要なプレイヤーなのです。

第3章

世界を変える17の目標

世界にはたくさんの問題があります。そんな世界を変えるための17の目標を見ていこう。一体どんな目標なのかな？　さらに、目標の背景を知り、世界の姿を数字と一緒に見ていこう。もしも、あなたがその問題に直面したら、どうする？

※各目標文は、SDGs副教材「私たちがつくる持続可能な世界」(日本ユニセフ協会)からの転載。

1 貧困をなくそう

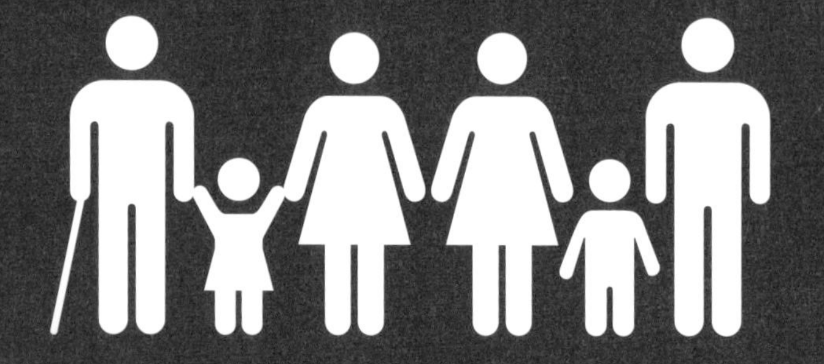

2030年までに

あらゆる場所のあらゆる形態の貧困を終わらせよう

たかまつななの体験談

バングラデシュで、貧しい家の7歳の子が、裕福な家の子どもの子守をしていました。しかも、仕事ができないと怒られるそうです。この子、悪くないよね？

大学に行きたいなんてもう言えない

お父さんが交通事故で、お母さんが病気になって働けなくなりました。家の収入がなくなり、部活動のお金が払えなくなって退部。塾もやめました。本当は大学に行きたいけど、お金がかかるから言い出せない。私のせいじゃないのに……。

生まれた瞬間、人生詰んだ！

親の収入が少ないと、子どもが十分な教育を受けられず、進学や就職で不利になって収入の高い仕事に就けません。収入の高い仕事に就けないと、自分の子どもの世代もまた貧困に……。生まれた環境によって、自分の教育や収入が決まってしまうなんて不平等！　貧困は連鎖するんです。

日本でも貧困は深刻な問題

- 1日1.9ドル未満（約200円）で生活する人は世界で約1割（7億3600万人）いて、その半分は子ども。
- 日本は子どもの7人に1人が貧困状態にある。

アイディアを考えてみよう

貧困を解決するために、日本には生活保護という制度があるよ。
他にはどんなことが必要か考えてみましょう。

2030年までに

飢餓を終わらせ、全ての人が一年を通して栄養のある十分な食料を確保できるようにし、持続可能な農業を促進しよう

たかまつななの体験談

カメルーンの森で、日本人を見かけました。その方は、なんと現地の人にお米を作る指導をしていたんです。日本の技術が「貧しいアフリカの人の飢餓」をなくすなんて素敵！

今日の夜ご飯はティッシュ

親が離婚して、私はお母さんと2人暮らしに。お父さんがいた頃より生活が苦しくなりました。学校の教材や制服を買うために食費を削り、ご飯は給食1食だけ。お腹が空いたら、ティッシュを食べて我慢する日も。お腹が空きすぎて、宿題なんてできない！

飢えから戦争が生まれる

発展途上国では十分な食料を作る技術力が低いため、天候によって収穫量が左右されます。また、やみくもに農地を開拓しても、栄養のない「やせた土地」が増え、農作物が採れなくなってしまいます。今後人口が増えるのに、食料が十分に増やせないと、食料をめぐって争いが起こるでしょう。

豊かな日本でも栄養失調で死者が

- 世界の人口約77億人のうち、9人に1人が長期間の栄養失調や飢餓。
- 2018年の日本の餓死者の数は22人。

アイディアを考えてみよう

飢餓を解決するために、日本には「子ども食堂」などがあるよ。
他にはどんなことが必要か考えてみましょう。

3 すべての人に健康と福祉を

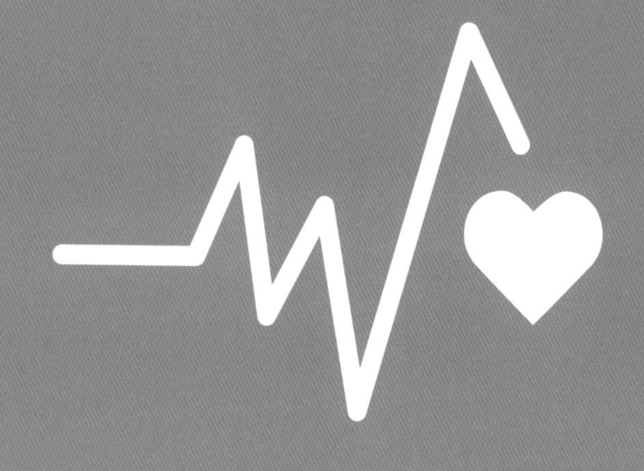

2030年までに

あらゆる年齢の全ての人々の健康的な生活を確保し、福祉を促進しよう

たかまつななの体験談

マダガスカルの子どもたちが楽しそうに「手洗いソング」を歌っていました。これは、日本人が考えたそうです。学校や家庭では教わらない「手洗い・うがい」を楽しく伝えています。

リスカする前に保健室へ

私の友だちがリスカ（リストカット）をしていました。調べたら、中高生の1割が自傷行為をしてしまうそうです。自傷行為をすると大人になった時に、自殺する可能性が高くなるらしいから、保健室の先生のところに一緒に相談に行きました。日本は豊かな国だけど、心を病む人が多いんだよね。

知識不足が死を招く

発展途上国では医療技術や健康に関する知識が行き渡らず、本来なら予防や治療できるはずの病気でたくさんの命が失われています。経済的に貧しくて病院に通えない人もいます。アフリカの一部では、子どもの死亡率は先進国の15倍より高いそうです。先進国でも、たばこやお酒、薬物乱用、交通事故、心の病によって健康を害する人がいます。

自殺者が多い日本

- 発展途上地域における妊産婦死亡率は、先進地域の14倍と言われる。
- 世界の半分の人が、予防接種などの基礎的な医療を受けられない。
- 日本では1年間の自殺者が約2万人。

アイディアを考えてみよう

心の健康を守るために、日本では行政が相談窓口を設置しています。すべての人が健康でいられるためには、他にどんなことが必要か考えてみましょう。

4 質の高い教育をみんなに

2030年までに！

全ての人が受けられる公正で質の高い教育の完全普及を達成し、生涯にわたって学習できる機会を増やそう

たかまつななの体験談

貧しさからレンガ工場に出稼ぎにきたネパールの家族。1日1000個のレンガを作ります。家族総出で働くため、子どもは学校に通えません。

大学に行って借金人生

私は家のお金が心配だったので、奨学金をもらって大学に進学しました。そのため、大学卒業後、毎月奨学金を1万6000円返さないといけないことに。でも、契約社員の私の給料では、家賃や携帯代などの生活費だけで手いっぱい。奨学金の返済が滞るようになりました。大学には行かない方がよかったのかな……。

字が読めないから地雷を踏む

文字が読めないことで「地雷」「危険」などの注意書きがわからない。新聞が読めず、選挙で誰に投票していいのか判断できない。詐欺にあう。予防接種など重要な情報を入手できない。必要な能力が身につけられず低賃金の仕事にしか就けないなど、さまざまな面で不利になります。

学校に通えない子が世界で3億人以上

- 世界の子どもの5人に1人は学校に行けない（約3億300万人）。
- 日本では、大学生のおよそ半分が奨学金を利用。
- 日本では、中学生の約1割が不登校傾向（保健室登校や学校に通うのが辛いと感じている状態など）。

アイディアを考えてみよう

教育の機会を保障するため、日本には奨学金があります。他にはどんなことが必要か考えてみましょう。

コラム

SDGsの達成度を数字で見える化

みなさんが学校でもらう通知表。私は音痴だったので、音楽の成績は10段階評価で５ばかり。でも、４以下は赤点なので、５以上をとるために一生懸命テストをがんばりました。

このように明確な評価があると、自分がどのぐらいの位置にいるかがわかって、努力しやすくなります。

それと同じように、SDGsもどの国がどのぐらい達成できているか評価できるようになっています。SDGsは17の目標それぞれに、より具体的な目標である「ターゲット」、そしてその達成度合いをはかるための「指標」というものがあるのです。

例えば、目標３の「すべての人に健康と福祉を」を見てみましょう。この目標の中には「2030年までに、世界の妊産婦の死亡率を出生10万人当たり70人未満に削減する」というターゲットがあります。これは、出産の際に亡くなってしまう母子を減らそうというものです。医療が発達していない発展途上国では、出産の際に母子が亡くなることが多いのです。

マダガスカルで誕生した赤ちゃん。医療の力で救われる命がたくさんある（写真：著者）

そして、これを達成できているかどうかは、「指標」で確認します。ここでは「妊産婦死亡率」と「専門技能者の立ち会い下での出産の割合」です。この２つが一定の数値を超えると、このターゲットは達成していると言えるのです。

このようにSDGsは、１つ１つの目標を達成しているかどうか、詳しく数字で説明できるようになっています。だから、各国の取り組みを評価する“通知表”を作ることができ、各団体はSDGsのために自分たちが何をすべきかが明確にわかるのです。

5 ジェンダー平等を実現しよう

2030年までに

男女平等を達成し、全ての女性及び女児の能力の可能性を伸ばそう

たかまつななの体験談

「女なのにサッカー選手になりたいなんて」「女なのに芸人になるなんて」。女なのにって、一体なんなの……？

私には無関係？

女だから不合格

お医者さんになりたくて、医学部を受験しました。バッチリできたはずなのに、結果は不合格。そのあと、ニュースで「女性が一律点数を下げられている」って言ってて、理由は「女性は結婚や出産で職場を離れることがあり、人手不足になるから」だって。女ってだけで不合格なんて、許せない！

なぜ問題なの？

女に生まれなきゃよかった？

世界には、宗教的・文化的伝統から、女性の地位が低い発展途上国が多くあります。そのような国では、女性が教育を受けたり結婚相手を選ぶ自由がなく、女性に対する人身売買や性的虐待などが続いています。ジェンダー（性別）による不平等をなくし、女性もその能力を発揮できれば、きっと社会がより発展するはずです。

女性の給料は低いのが当たり前？

- 世界では、女性は男性と比べて約20％近く賃金が低い。
- 日本の国会議員のうち女性は約1割で、これは193か国中166位（2020年3月）。

アイディアを考えてみよう

ジェンダー平等の実現のため、日本では男性の育児休暇の取得日数や会社で出世できる女性の数を増やそうとする動きがあります。他にはどんなことが必要か考えてみましょう。

6 安全な水とトイレを世界中に

2030年までに

全ての人が安全な水とトイレを利用できるよう衛生環境を改善し、ずっと管理していけるようにしよう

たかまつななの体験談

取材が終わり、バングラデシュの高級ホテルに宿泊。シャワーを浴びると、泥水が出てきてびっくり！　きれいな水が出てくるのは当たり前ではないんです。

私には無関係?

日本の水が危ない?!

この間、家の前の水道管が破裂して道路が水浸しに。自治体はお金がなくて、老朽化していたのに放っておいたみたい。今後は民間企業に水道の運営を任せるらしいけど、海外では「民営化で水道料金が値上がった」「サービスが低下したので、また公営化してほしい」という声が相次いでいるとか。大丈夫かな……。

汚水を飲んで奪われる命

下水や工場の排水が川に流れ、その汚水を飲んでいる人が多くいます。そして汚水のせいで発生した、下痢やコレラ、腸チフスなどの感染症で約50万人が死んでいます。また、往復何時間もかけて生活に必要な水をくみに行っている人もいます。このせいで、学校に行けない子も大勢いるのです。

うんち混じりの水を利用せざるを得ない現実

- 少なくとも、世界の20億人が糞便の混入した水を飲まざるを得ない。
- 日本人1人あたりの1日の平均の水の使用量は284L。これはヨーロッパの1.5倍ほど。

アイディアを考えてみよう

きれいな水を守るために、日本ではNPOなどが川や湖を掃除しています。他にはどんなことが必要か考えてみましょう。

7 エネルギーをみんなに そしてクリーンに

2030年までに

全ての人が、安くて安定した持続可能な近代的エネルギーを利用できるようにしよう

たかまつななの体験談

マダガスカルで、ある村の村長さんの家に1泊しました。電気がないため、真っ暗な中、夜ご飯を食べました。トイレには、怖くて行けませんでした。

YouTubeもゲームもできない世界

日本では現在、火力発電が多いです。火力発電は、地球温暖化につながる二酸化炭素をたくさん排出します。現在と同じ発電の割合で、もし二酸化炭素の排出上限が国際的に厳しくなって、日本がこれ以上火力発電ができなくなったら……電車の本数は大幅に減って大混雑。テレビはなくなり、スマホは1日1時間。電気のない暮らしなんて考えられない！

電気と地球、どっちが大事？

発展途上国の生活をよくするには、電気が不可欠です。しかし、化石燃料（石油・石炭・天然ガス）を使った発電は二酸化炭素を排出して温暖化を加速しますし、そもそも資源の量が限られています。だから、水力などの環境に優しい再生可能なエネルギーで作られた電気を、安い値段で発展途上国が使えることが求められているのです。

世界の約8人に1人が電気を使えない

- 世界では約10億人を超える人が電気を使えない暮らしをしている。
- 日本の再生可能エネルギーを使った発電量の割合は16%。ちなみに、カナダは65%、ドイツは33%、イギリスは29%（いずれの数字も2017年のもの）。

アイディアを考えてみよう

日本では、クリーンなエネルギーを生み出すために、海流を利用した潮流発電などの環境に優しい発電の研究を行っています。他にはどんなことが必要か考えてみましょう。

8 働きがいも経済成長も

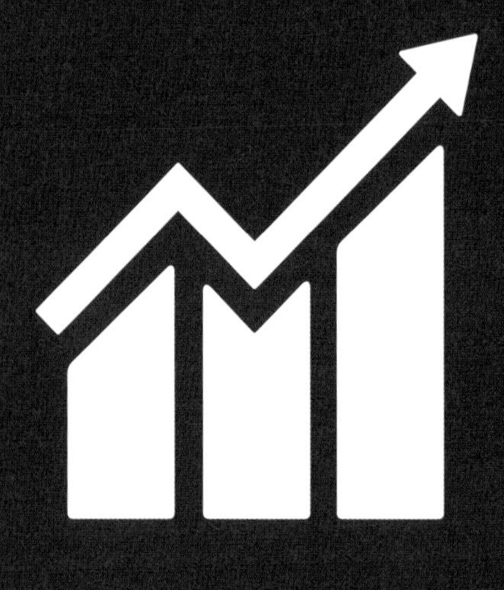

2030年までに

誰も取り残さないで持続可能な経済成長を促進し、全ての人が生産的で働きがいのある人間らしい仕事に就くことができるようにしよう

たかまつななの体験談

お世話になった先生から「死にたい」と夜中の2時に電話がありました。「多忙」と「いじめ」に苦しんでいました。元教え子に助けを求めるほど追い詰められるなんて……。

働きすぎて先生が死んじゃう?

塾の帰り道、22時を過ぎても、うちの学校の電気はこうこうとついています。私の担任の先生は、土日は部活動の大会、平日は念入りな授業準備で、月の残業時間が80時間を超えているそうです。そういえば、今日の先生、ふらふらして倒れそうだったけど、大丈夫かなあ……。

世界はブラック企業だらけ?

みなさんは自分が買ったものを、誰が作っているか想像したことがありますか? もしかしたら、発展途上国の子どもや女性が、劣悪な環境での強制労働やタダ働きで作ったのかも。日本でも、働きすぎで亡くなる人が後を絶ちません。労働者の働きがいを無視した経済成長は、不幸を生み出します。

なくならない児童労働

- アフリカでは、子どもの5人に1人が働いている。
- 日本では、職場の問題が原因で自殺した人が年間2000人を超える。

アイディアを考えてみよう

日本では、働きがいが失われないよう、労働基準法で労働者の残業時間の上限や休みの日を確保することなどを定めています。労働者の働きがいを犠牲にせずに経済成長するためには、他にどんなことが必要か考えてみましょう。

コラム

SDGsのランキング、日本は何位？

SDGsの“通知表”の１つ、SDGsインデックス＆ダッシュボードによれば、2020年の日本のSDGs達成度は、100点満点中79.2点でした。世界ランキングは162か国中17位です。

17個の目標ごとの評価を見てみると、日本の場合、目標４「質の高い教育をみんなに」と目標９「産業と技術革新の基盤をつくろう」、そして目標16「平和と公正をすべての人に」が高評価になっています。

目標４では就学率の高さや科学教育が評価されています。目標９ではインターネットの普及率の高さや特許の多さ、目標16では殺人事件の少なさ、児童労働や通常兵器の輸出がないことが評価されています。

一方、評価が低いのは、目標５「ジェンダー平等を実現しよう」、目標13「気候変動に具体的な対策を」、目標14「海の豊かさを守ろう」、目標15「陸の豊かさも守ろう」、目標17「パートナーシップで目標を達成しよう」の５つです。

SDGs達成度ランキング上位18か国

順位	国名	順位	国名
1	スウェーデン	10	エストニア
2	デンマーク	11	ベルギー
3	フィンランド	12	スロベニア
4	フランス	13	イギリス
5	ドイツ	14	アイルランド
6	ノルウェー	15	スイス
7	オーストリア	16	ニュージーランド
8	チェコ	**17**	**日本**
9	オランダ	18	ベラルーシ

(SDSNとベルテルスマン財団による『Sustainable Development Report 2020』より作成)

目標５では女性の国会議員の少なさや男女間の賃金格差の大きさ、目標13では二酸化炭素排出量の多いエネルギーを主に使用していること、目標14では魚を獲りすぎていること、目標15では絶滅危惧種が多いこと、目標17では先進国として開発途上国への資金援助が少ないことが、それぞれ厳しい評価につながっています。

目標５のジェンダー平等に関する評価が低い先進国は少なく、日本特有の課題と言えそうです。

9 産業と技術革新の基盤をつくろう

2030年までに

災害に強いインフラを作り、持続可能な形で産業を発展させイノベーションを推進していこう

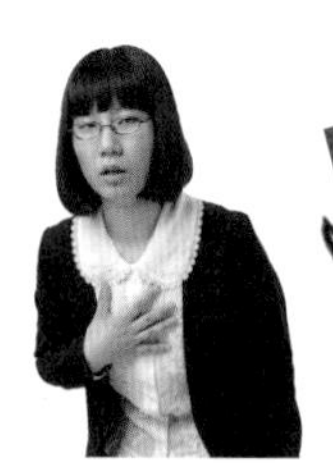

たかまつななの体験談

マダガスカルは、でこぼこ道が多く、車に乗っていると酔いました。でも、中には「東京通り」と呼ばれる舗装された道路があります。これは、日本が作ったんです。

ある日突然、トンネルが崩落？

私のおばあちゃんがスーパーへ買い物に出かけた帰り道、古くなった道路の穴ぼこにつまずき怪我をしました。でも国や自治体にお金がないため、なかなか新しくできません。以前どこかで、古いトンネルの崩落事故が起こったって聞くし、これでは危なっかしくて外に出るのが怖いなあ。

雨が降るだけで道が使えない

発展途上国には、整備されていない道路が数多く存在します。未舗装の道路は大雨で水没することがあり、移動するのに支障が出ることもしばしば。病院や学校にも行けなくなります。もし、そこにアスファルトの大きな道路ができたら、よりたくさんのヒトやモノが行き来できるようになります。

このままでは危険な日本のインフラ

- 世界の約10億人が、道路や輸送サービス（電車・バス・飛行機）を利用できない。
- 日本のトンネルの約3割超、道路として使う橋の4割超が、このままでは2023年に建設後50年を超え、寿命を迎えると言われている。

アイディアを考えてみよう

日本には、インフラを整え、事故を未然に防ぐために、道路などの破損箇所を市民が通報できるアプリを使っている自治体があります。産業と技術革新の基盤を作るために、他にはどんなことが必要か考えてみましょう。

2030年までに

国内及び国家間の不平等を見直そう

たかまつななの体験談

ネパールには、中国から迫害を受けたチベット人の難民キャンプがあります。彼らはパスポートもなく無国籍。じゅうたんを作って細々と生活していました。

明日から車いす生活に？

運動会で披露する組体操のピラミッドの練習中、上から落ちて大怪我をして、結局、歩けなくなって車いす生活に。障碍者は、健常者と比べてお給料が半分以下で、働いても生活費を稼ぐのは難しい場合もあるって聞いたよ。今はパパとママがいるからいいけど、もし私が１人になったら……。

自分と違う人は排除していいの？

「宗教が違う奴は、村から追い出せ」「障碍者は仕事なんてできない」「派遣社員は給料が安くていい」。世界には、人種や性別、宗教などで不平等な扱いを受けている人がたくさんいます。しかも、子どもや孫の世代になっても苦しいまま。多様な人が活躍してこそ、世の中も発展するはずです。

差別される外国人労働者たち

- 外国で働く労働者を差別しないための条約があり、39か国が署名（2020年7月）。しかし、日本を含む先進国はほとんど不同意。
- 日本で働く外国人の労働者は約166万人。

アイディアを考えてみよう

人や国の不平等を解消するため、日本では、最低賃金を各都道府県で決めたり、大きな規模の会社に障碍者を一定割合採用することを求めたりしています。他にはどんなことが必要か考えてみましょう。

11 住み続けられるまちづくりを

2030年までに

安全で災害に強く、持続可能な都市及び居住環境を実現しよう

たかまつななの体験談

バングラデシュの首都ダッカは、ひどい交通渋滞でした。信号機が少なく、交通ルールを無視する人が多いなどのためです。事故にあいそうで、怖かったです。

ハザードマップは命を救う地図

この間、大きな台風が来て大変だった。川が氾濫して、町が浸水。友だちの1人が亡くなっちゃった。おれは避難場所とかが描かれたハザードマップっていう地図を見て避難所に行ったから、何とか助かったんだ。地震に台風に噴火……災害って、いつ起こるかわからないから、ほんと怖いよ。

痴漢が許される町なんてイヤ！

「電車に乗ると痴漢にあう」「エレベーターやスロープがなくて障碍者や高齢者が困る」「大気汚染が深刻で、マスクがないと外出できない」。このような町は住みづらいですよね。誰もが住みやすい町にするためには、痴漢をした人を罰する法律の整備、エレベーターの設置に対する税金での補助、公害や災害への対策などが大事です。

都市では汚染された空気を吸うのが当たり前？

- 世界の約8億人がスラム(貧困層の過密地域)に住んでいる。
- 世界の約9割の人が汚染された空気を吸っている。
- 日本にはホームレスの人が約4500人いる。

アイディアを考えてみよう

日本には、住み続けられるまちづくりを実現するために、行政に市民が陳情するなどしています。他にはどんなことが必要か考えてみましょう。

12 つくる責任 つかう責任

2030年までに

持続可能な方法で生産し、消費する取り組みを進めていこう

たかまつななの体験談

日本は食品ロス世界トップクラス。私は外食の時に、ご飯の量は少なめで頼んで残さないようにしています。

激安商品の裏には児童労働が

私はチョコが大好き。スーパーの特売で、たくさん買っちゃう。でも、最近ちょっと反省。私たちが安い商品を求めるので、チョコの原料となるカカオ農家の人たちは十分なお金がもらえないんだって。子どもも学校に通えずに働いているとか。作っている人のことなんて、考えたこともなかった……。

余ったら捨てろ！　作りまくれ！

発展途上国では、食べる物がなく困っている人がたくさんいます。それなのに、日本を含む先進国では毎日のように食料が捨てられています。売る側は売り上げのためといって商品を作りすぎないこと、買う側は必要以上に買わないことが求められます。

日本は食品ロス世界トップクラス

- 世界で人の消費のために生産された食料のうち、3分の1が捨てられる。
- 日本の食品ロス（食べられるのに捨てられる食品）は612万トン。これは、1人あたり毎日おにぎりを1個捨てている計算。

アイディアを考えてみよう

日本では、食品ロスを解消するために、食品が余っている飲食店がすぐにわかるアプリがあります。つくる側とつかう側、どちらも責任を果たすには、他にどんなことが必要か考えてみましょう。

コラム

日本発祥のあるものがSDGsに貢献

日本の団体もSDGsの取り組みを進めています。例えば、JICA（国際協力機構）は、発展途上国のお母さんと子どもの健康を守るために、母子手帳の普及に取り組んでいます。

例えば、紛争地域に住む親子。彼らは避難しながら生活しなければならず、同じ病院に通うことができません。

しかし、母子手帳があることで、移動先の病院でも、これまで受けた治療、アレルギーの有無や成長の過程などを確認でき、継続した医療を受けられるのです。そのため、母子手帳は「生命のパスポート」とも呼ばれ、現在では、日本を含む世界約40か国で年間およそ1000万冊発行されています（目標３「すべての人に健康と福祉を」）。日本発祥の取り組みが広がるのは、うれしいですね。

ヤクルトも、SDGsに取り組んでいます。1963年から、各家庭を訪問してヤクルトを販売するスタッフに、女性を多く採用しました。この販売員は「ヤクルトレディ」とも呼ばれ、女性の社会進出を支えました。実はヤクル

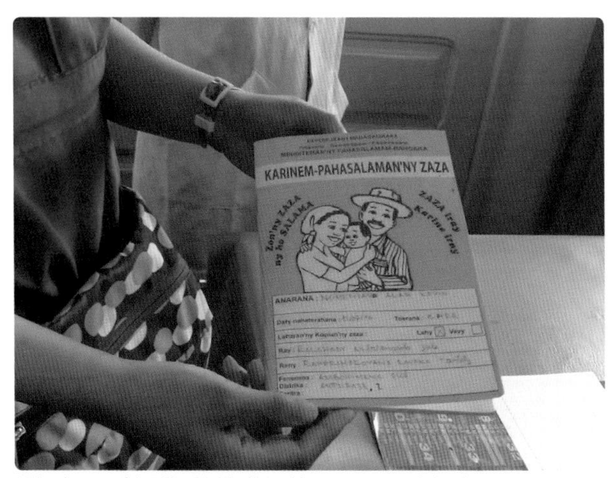

日本で生まれた母子手帳が世界中の親子の助けになっている（写真：著者）

トは、海外でも、この「ヤクルトレディ」のシステムを導入し、現地の女性たちに働く機会を提供しているのです（目標5「ジェンダー平等を実現しよう」）。

　中高生も大きな活躍をしています。山陽学園中学校・高等学校の地歴部は、いち早く海のプラスチックゴミに着目し、地元の漁師と協力してゴミの回収や調査を行っています。日本のみならず世界にまで目を向けた取り組みです（目標17「パートナーシップで目標を達成しよう」）。

13 気候変動に具体的な対策を

2030年までに

気候変動及びその影響を軽減するための緊急対策を講じよう

たかまつななの体験談

近年、凶暴化する台風。大きな被害を受けた長野で、りんご畑も家も浸水したおばあさんに会いました。りんごを片付ける背中が悲しそうでした。

運動会は深夜に？

今年から私の学校では、一日がかりでやっていた運動会を午前中だけに短縮。熱中症対策で、暑い昼間を避けたんだって。もっと暑くなったら、運動会は深夜から早朝までになったりして。気候変動って北極の氷がとけたりするだけで私には関係ないのかと思いきや、そうじゃないんだ。

気温が上がると家が海に沈む？

地球温暖化による異常気象で、大雨や洪水などの災害が増え、海面が上昇して人が住める土地が減るなど、さまざまな問題が世界で発生しています。地球温暖化の原因の1つは、二酸化炭素の増加です。火力発電所による発電や自動車の利用などで、化石燃料を燃やすと二酸化炭素が排出されます。私たちが豊かな生活を追い求めた結果、私たちが苦しむことになっているのです。

地球が悲鳴をあげている

- 二酸化炭素の排出量は、1990年から約30年で、約1.5倍になった。
- 1901年からの約100年で、世界の海面は約19センチ上昇した。

アイディアを考えてみよう

日本では、温暖化を防ぐために、二酸化炭素の排出量が少ないエコカーを開発する自動車会社が増えています。気候変動の対策には、他にどんなことが必要か考えてみましょう。

2030年までに

持続可能な開発のために海洋資源を保全し、持続可能な形で利用しよう

たかまつななの体験談

浜辺の清掃に行くと、ビニール袋のゴミが多くて、びっくり！　細かいプラスチックを小さな魚が食べ、その魚を大きな魚や鳥が食べ、やがてそれらを食べる人間にも汚染が……。

『お客さまアンケート』ご協力のお願い

この度は、くもんの商品をお買い上げいただき、誠にありがとうございます。
わたしたちは、出版物や教育関連商品を通じて子どもたちの未来に貢献できるよう、日々商品開発を行なっております。
今後の商品開発や改訂の参考とさせていただきますので、本商品につきまして、お客さまの率直なご意見・ご感想をお聞かせください。

裏面のアンケートにご協力いただきますと、
「図書カード(1,000円分)」を
抽選で毎月100名様に、プレゼントいたします。
※『図書カード』の抽選結果は、賞品の発送をもってかえさせていただきます。

『お客さまアンケート』個人情報保護について

『お客さまアンケート』にご記入いただいたお客さまの個人情報は、以下の目的にのみ使用し、他の目的には一切使用いたしません。
①弊社内での商品企画の参考にさせていただくため
②当選者の方へ「図書カード」をお届けするため
なお、お客さまの個人情報の訂正・削除につきましては、下記の窓口までお申し付けください。

くもん出版お客さま係
東京都港区高輪4-10-18 京急第1ビル 13F
0120-373-415 (受付時間 月~金 9:30~17:30 祝日除く)
E-mail info@kumonshuppan.com

一般書

この本の書名『　　　　　　　　　　　　　　　　　　　　　　　　　　　』

お買い上げの書店名

ご年齢　　　　　　　　　　　　　　　　　　　　　　歳（　男　／　女　）

この本についてのご意見、ご感想をお聞かせください。

Q1 内容面では、いかがでしたか？

1. 期待以上　　2. 期待どおり　　3. どちらともいえない
4. 期待はずれ　　5. まったく期待はずれ

Q2 それでは、価格的にみて、いかがでしたか？

1. 十分見合っている　　2. 見合っている　　3. どちらともいえない
4. 見合っていない　　5. まったく見合っていない

Q3 この本のことは、何で知りましたか？

1. 広告を見て　　2. 書評・紹介記事で　　3. 人からすすめられて
4. 書店で見て　　5. 学校の図書館で見て　　6. その他（　　　　　　）

Q4 本書のご感想を、今後の企画や宣伝・広告に活用させていただけますか？

1. 弊社からの電話や手紙でお話を伺ってもよい
2. 匿名ではがきの感想は使ってもよい　　3. 情報提供には応じたくない

ご協力、どうもありがとうございました。

郵 便 は が き

恐れ入りますが、
切手を
お貼りください。

108-8617

東京都港区高輪4-10-18
京急第1ビル 13F
(株) くもん出版
お客さま係 行

フリガナ	
お 名 前	
ご 住 所	〒□□□-□□□□ 都道府県 区市郡
ご連絡先	TEL ( )
Eメール	@

ご記入いただいたEメールアドレスに、本書の著者のイベント情報などをお送りしてもよいでしょうか? (よい / 送ってほしくない)

あなたがウミガメを殺した犯人？

授業でウミガメが死んだ写真を見ました。海に流れた人間が出したゴミを食べたそうです。そういえば、この間、コンビニで買い食いをした時のゴミをゴミ箱に入れず、脇に置いちゃった。それが雨で排水溝に流れ、やがて海へ……。ウミガメが死んだのは、もしかして私のせいなのかも。

魚よりゴミの方が多くなる？

海に住む魚の数が減っています。しかし、相変わらず魚の需要は高く、人々は魚を獲りすぎています。魚が減ると、食べられなくなるし、水産業などで働く人々の生活が苦しくなります。さらに深刻なのは、ゴミの問題。2050年の海は、魚よりゴミの方が多くなるという予測もあります。

街のゴミが海に流れ着く

- 世界中の海に、少なくとも年間800万トンものプラスチックゴミが流出。そのうち、2～6万トンは日本から。
- 海のゴミの8割は陸から出ている。街のゴミが排水溝を通じて、海に流れ着く。

アイディアを考えてみよう

日本では、海洋プラスチック削減などのために、レジ袋が有料になりました。海の豊かさを守るには、他にどんなことが必要か考えてみましょう。

15 陸の豊かさも守ろう

2030年までに！

陸上の生態系や森林の保護・回復と持続可能な利用を推進し、砂漠化と土地の劣化に対処し、生物多様性の損失を阻止しよう

たかまつななの体験談

富士山のふもとの樹海でゴミ拾いをした時、大量に捨てられたバスや医療器具、テレビなどを目にしました。ゴミ処理のお金を浮かせているのです。これでは森が汚れます！

ペットの扱い方で大事件！

ある日、生物の授業で、外来種のミドリガメが、日本にもともといるニホンイシガメの住みかやエサを奪うことを知りました。その影響で、ニホンイシガメは絶滅の危機にあるそうです。実は私、ペットのミドリガメが大きくなりすぎちゃったから、近くの川で放したことあるんだ。私のせいでニホンイシガメが危機に……。

森が悲鳴をあげている

人口が増加し、たくさんの食料が必要になると、森林を開拓し農地を増やします。でも、森林が減ると、木の根に雨水を留めておけず、川が氾濫し、河川の近くに住んでいる人々が死んでしまうこともあります。さらに森に住む動物の住みかがなくなり、生態系を壊しかねません。砂漠化も心配です。やがては地球に人は住めなくなります。

人のために失われる森林

- 世界では年間330万ヘクタールの森林が失われ、これは1時間あたり東京ディズニーランド7個分に相当。
- 日本の野生生物のうち、およそ3700種が絶滅のおそれがある。

アイディアを考えてみよう

日本には、森を守るため、社会貢献の一環で植林を行っている企業があります。陸の豊かさを守るには、他にどんなことが必要か考えてみましょう。

16 平和と公正をすべての人に

2030年までに

持続可能な開発のための平和的で誰も置き去りにしない社会を促進し、全ての人が法や制度で守られる社会を構築しよう

たかまつななの体験談

ネパールで人身売買された子を保護する施設に行きました。貧困のため、親が子どもを売っているのです。まだまだ世界では人身売買が行われています。私も驚きました。

子どもの泣き声……虐待かも

家族で夜ご飯を食べていると、隣の家からいつも聞こえる小さい子の泣き叫ぶ声。心配になった私は、学校に掲示してあった児童相談所のポスターを見て、189（いちはやく）に電話。そうしたら後日、親の虐待が判明。何も悪いことをしていない子どもが、ひどい目にあっていたんだ……。

戸籍に載らない子どもたち

政治や法律などの仕組みが不十分なために、苦しんでいる人が世界にはたくさんいます。暴力によって命を落としたり、財産を奪われたりする人。裁判もされずに投獄される人。生まれても出生登録がされず、教育や医療サービスを受けられない子もいます。いじめも、法律によってきちんと対処しないといけません。

家庭内暴力が犯罪にならない国

- 世界では、3億人以上の女性がDV（家庭内暴力）が犯罪にならない国で生活している。
- 日本では、2019年度、54人の子どもたちが虐待で死亡した。

アイディアを考えてみよう

日本では、人権を守り、無実の罪で罰せられないように裁判を3回まで受けられるルールがあります。平和と公正をすべての人に確保するためには、他にどんなことが必要か考えてみましょう。

17 パートナーシップで目標を達成しよう

2030年までに

目標の達成のために必要な手段を強化し、持続可能な開発にむけて世界のみんなで協力しよう

たかまつななの体験談

カメルーンで日本が作った小学校に行くと、教壇には日本人のボランティアの先生が立っていました。私が日本人だと言うと、子どもたちからとても感謝されました。

みんなで協力して世の中を変えよう

公園でサッカーをしていたら、危ないと大人に怒られました。公園で遊べないのはおかしい！　そう思って、友だちと署名を集めることにしました。集まった署名を役所に持っていったところ、なんと、公園にフェンスが設置され、ボール遊びができるようになりました。みんなで協力すれば、難問も解決できるんだ。

1人じゃ達成できない

今まで話した1～16の目標は、1つの国や個人では達成できません。例えば、先進国から発展途上国への資金や技術の支援があれば、問題は解決に一歩近づくでしょう。また、17個の目標すべては関連し合っていると国連は言っています。どの目標とどの目標がつながり合っているか考えることも大事です。

目標達成のためにはもっと投資がいる

- SDGsの達成には、世界で推定で年間500～700兆円かかる。
- 日本のODA（政府開発援助）は、1997年は1兆1687億円だったのが、2020年は5600億円まで減少。

アイディアを考えてみよう

みんなで協力して17の目標を達成するためには、NPOの活動やボランティアなどを通じ、一人ひとりの社会参画が求められます。他にどんなことが必要か考えてみましょう。

コラム

ESG投資って？
企業がSDGsを無視できないわけ

SDGsは前身のMDGsとは異なり、政府やNPO（社会的活動を行う団体）だけでなく、企業にも具体的な行動を求めています。国境を越えて企業の存在感が高まる中、政府だけで地球規模の問題に対応するのが難しくなっているからです。

このようにSDGsが企業に行動を求めたことで、ESGの観点に再度注目が集まっています。ESGとは、Environment（環境）・Social（社会）・Governance（企業統治）のそれぞれの頭文字をとった言葉で、企業が長期的に成長するためには、この３つの観点が重要だという考え方です。

投資家は企業に投資する際、その企業がこれから成長する見込みがあるかを見極めなければなりませんが、その時、ESGをもとに「会社の成長が持続可能か」を判断するのです。これをESG投資と言います。

例えば、世界的な金融会社であるゴールドマンサックスは、取締役に女性がいない会社の資金集めに協力しないと表明しています。

企業の経営にESGの観点は不可欠

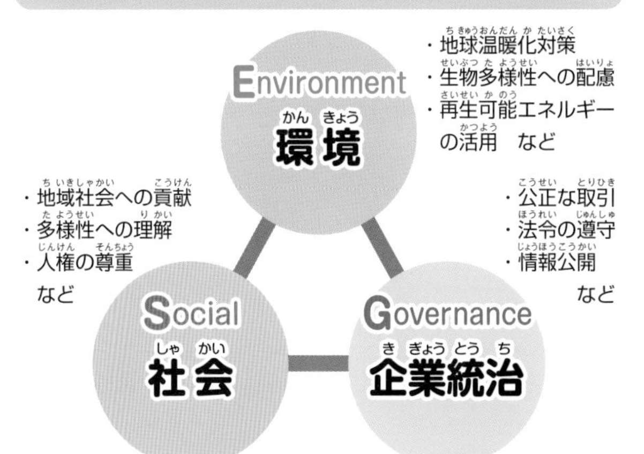

他にも、二酸化炭素を多く排出し、地球温暖化を加速させている会社は、ESGの観点では低評価となり、お金を集めにくくなります。一方で、環境によいとされる電気自動車を作るメーカーは評価が高くなり、投資家の資金が集まりやすくなります。

このように、ESG投資が進むと、お金の流れが変わり、持続可能な企業にお金が集まるようになります。また、企業側も、ESGとSDGs両方への取り組みを１つにまとめたサスティナビリティレポート（持続可能性報告書）を作成し、自社の努力を投資家にアピールするようになり始めています。

第4章

今日からできるSDGs100のアクション

今日からすぐにできるSDGs達成のためのアクションを100個並べたよ。あなたは、どれができそう？　実行したものや、できそうなものをチェックしてみよう。白紙のページには、他にできそうなことを考えて書いてみよう。

スマホでできること

1 いじめは誰かに相談しよう

いじめにあったら、1人で悩まず、親や信頼できる先生への報告や電話相談をしよう。例えば、24時間子供SOSダイヤル（0120-0-78310）が無料で相談を受けてくれるよ。

2 虐待は通報しよう

あなたの近くで、虐待の疑いや食事に困っている子どもがいたら189（いちはやく・児童相談所虐待対応ダイヤル）に電話をかけよう。

3 メモはスマホを使おう

紙のメモ帳をできるだけやめて、スマホ（スマートフォン）にメモをしよう。

4 薬の怖さを調べてみよう

「薬物の怖さ」を検索しよう。好奇心で一度手を出してから、やめられずに逮捕される10代の子もいるよ。誘惑に負けないで。

5 スマホのやりすぎに注意しよう

スマホやゲームを長時間やりすぎないで！ 依存症になると、日常生活に支障が出る。お風呂でスマホ、ゲームで睡眠不足の人は要注意！

6 環境に優しい製品を買おう

企業のホームページをチェックして、環境に優しい取り組みをしている企業の製品を買おう。

7 スマホはリサイクルしよう

スマホの部品に使われているレアメタル（希少金属）をめぐって、戦争が起こっている。だから、スマホはリサイクルしよう。

8 子どもの権利を調べよう

国連で決められた「子どもの権利条約」を読むなどして、自分たちの権利を知ろう。例えば、教育を平等に受けるための奨学金制度があるよ。

9 紛争や難民のことを調べよう

「世界の紛争」や「世界の難民」を検索して、紛争や難民に必要な支援について調べてみよう。あなたにできることがあるかも。

10 社会問題について話そう

社会問題に興味を持ったら、友だちと話そう。関心のある人が増えると解決に近づくよ。SNSでシェアする時は、ウソを広めないように！

おうちでできること

11 賞味期限と消費期限の違いを知ろう

安全に食べられる期限（消費期限）とおいしく食べられる期限（賞味期限）の違いを知ろう。賞味期限が切れても、直ちに食べられなくなるわけではない！

12 余った食事は冷凍しよう

食べきれない分は、冷凍保存できないか考えてみて。食品ロスをなくそう！

13 冷蔵庫の中身を確認しよう

消費期限・賞味期限切れを出さないよう、冷蔵庫の食品をこまめにチェックしよう。食べ物は、期限内に食べ切れる分だけ買おう。

14 食器の汚れはふいてから流そう

食器の汚れは水で洗う前に紙などでふき、排水口に流さないようにしよう。生活排水が最も多く出るのは台所。トイレやお風呂よりも多いよ。

15 冷蔵庫を開けたらすぐ閉めよう

電気を無駄にしないために、冷蔵庫にものを詰め込みすぎず、ドアを開けている時間を少なくしよう。

16 使っていない家電はコンセントから抜こう

使っていない電化製品はコンセントから抜いて、電気を節約しよう！

17 人がいない部屋の電気は消そう

誰もいない部屋の電気は消そう。家族がなるべく同じ部屋で過ごすなどして、電気の節約をしよう。

18 冷暖房の温度に気をつけよう

エアコンの温度を冬は低め、夏は高めに設定しよう。電気の節約になるよ。

19 エアコンのフィルターの掃除をしよう

エアコンを使う時は、事前にフィルターを掃除し、窓やドアの隙間をふさいで、扇風機も一緒に使おう。効率よく電力を使えるよ。

20 早く寝よう

夜ふかしをやめて、夜間の電気を節約しよう。

21 お風呂は前の人のあとすぐに入ろう

お風呂は前の人と時間の間隔をあけずに入ろう。追いだきにもエネルギーが必要！

22 ドライヤーの使用時間を減らそう

お風呂あがりに、髪の毛をしっかりタオルでふこう。ドライヤーの使用時間を減らし、電気を節約しよう。

23 トイレのふたを閉めよう

暖房便座は、便座を温めるのに電気をたくさん使う。節約のため、使用後はふたを閉め、使わない時はスイッチを切ろう！

24 緑のカーテンを作ろう

ヘチマやアサガオなどのつるを網に絡ませてカーテン風にすれば、冷房の使用も減らせるし成長も楽しみ！

25 画面の明るさを調整しよう

パソコン、テレビ、スマホの画面の明るさを暗くして、消費電力を少なくしよう。

26 防災バッグを用意しよう

災害に備え、防災バッグを用意しよう。携帯ラジオ、水、非常食、懐中電灯、電池、携帯トイレなど、何が必要なのか調べよう。

27 ハザードマップを確認しよう

避難場所などが描かれた地図「ハザードマップ」を冷蔵庫に貼ったり、スマホに保存したりしよう。家族でどこに避難するか決めておこう。

28 トイレは大小分けて流そう

トイレの水を流す時には、大小をしっかりと使い分けよう。水は大切に！

29 水を出しっぱなしにしない

歯を磨いている時やシャワーを浴びる時、水を出しっぱなしにしないようにしよう。

30 洗い物はまとめてしよう

洗濯や皿洗いはまとめて行おう。水を節約しよう！

31 シャワーの使用時間を減らそう

水を節約するために、湯舟のお湯で体を流そう。夏は短時間のシャワーにしよう。

32 充電池を使おう

充電池を使おう。充電すれば何度も使える電池なので、ゴミの量を減らせるよ！

33 ゴミは分別しよう

ゴミはしっかりと分別！ 資源ゴミは、もう一度資源に戻して製品を作れる。分別方法は、地域によって違いがあるから調べよう。

34 なるべく裏紙を使おう

印刷物をできるだけ減らし、紙を使う時は、裏紙を使おう。

35 穴の空いた靴下を縫おう

靴下に穴が空いたら針と糸で縫うなど、ものが壊れたら直す方法がないか考えよう。

36 堆肥を作ろう

生ゴミや落ち葉、雑草から堆肥を作ろう。堆肥を混ぜた土は植物が育ちやすいよ。庭や植木鉢に埋めるだけでできるから調べよう。

37 野菜の皮も料理に使おう

野菜は皮まで調理し、できるだけ無駄なく食べよう！

38 お茶やコーヒーを無駄なく使おう

お茶がらやコーヒーかすは、消臭剤や堆肥になるから調べてみよう。ゴミも減らせるし一石二鳥だよ！

39 こまめに手を洗おう

インフルエンザなどの感染症を防ぐために、こまめに手を洗おう。十分な睡眠と栄養をとって、体調を整えることも意識しよう。

40 家事をしよう

性別に関係なく、みんな率先して家事をしよう。

41 再配達の依頼をなるべく減らそう

荷物の再配達をできるだけなくそう。ドライバーの人手不足、長時間労働が問題になっているよ。最初から自分が家にいる時に届けてもらうよう手配しよう。

家の外でできること

42 災害発生時の連絡方法を確認しよう

被災地への電話が混雑でつながらない時、「災害用伝言ダイヤル（171）」ならつながりやすい。安否確認の伝言を登録・確認できる。インターネット版の「災害用伝言板（web171）」もあるよ。

43 道路の異状を報告しよう

道路に、穴ぼこ、ガードレールの破損、動物の死骸、落下物がある時は、道路緊急ダイヤル（#9910）に連絡しよう。事故を未然に防げるよ。

44 税金の使われ方を調べよう

車いすで生活しにくくない？ 道は安心して歩ける？ 自分の町に関心を持ち、自分の自治体の運営や税金の使われ方を調べてみよう。

45 ボランティア活動に参加しよう

地域のボランティア活動に参加してみよう。やりがいがあって、地域の課題もわかるはず。

46 子ども食堂のことを知ろう

近所の「子ども食堂」を調べよう。貧しい家の子どものために、食事を提供しているよ。地域交流や子どもの見守りの場でもあるよ。

47 プラスチック容器の使用はやめよう

使い捨てのプラスチックのカップやストローが使われていない飲食店に行こう。陶器のマグカップや紙ストローの方が環境に優しい。

48 マイバッグを持とう

エコバッグやマイボトルなどを持ち歩き、ゴミを減らそう。ペットボトルなどプラスチック容器を使った商品は極力買わず、レジ袋は断ろう。

49 食べ物を残さず食べよう

外食した時は、量を少なめにしてもらったり、苦手な食材を伝えたりして、食べられる分だけ注文しよう。

50 余った食べ物はお裾分けしよう

余りそうな食べ物は捨てる前に、友だちやご近所にお裾分けをしよう。

51 期限切れに近いものから買おう

買い物をする時、賞味期限・消費期限が先のものばかり選ばないようにしよう。期限が切れたら、廃棄されて食品ロスになってしまう。

52 訳ありの野菜を買おう

野菜は「訳あり品」を買おう。品質には問題がないのに、見た目が悪いということで、廃棄される野菜があるんだ。

53 商品ができる過程を想像しよう

買い物の時、その原料や作り方、関わる人などを想像しよう。「商品ができるまで」の過程で、環境を汚してないか、児童労働に頼っていないかなどを考えよう。

54 詰め替え用を買おう

シャンプーや洗剤などがなくなったら、詰め替え用を購入しよう。もともとの容器は、なるべく使い続けよう。

55 間伐材でできた商品を買おう

木を密集させないために切った木材、間伐材が使われている商品を買おう！ ノートやコピー用紙、紙コップなどに使われている場合もあるよ。

56 合成繊維の服は避けよう

服を買う時は、素材を確認しよう。ナイロンやポリエステルなどの合成繊維は糸くずがプラスチックゴミになって海を汚すし、毛皮は動物が殺されているよ。

57 スーパーでリサイクルしよう

発泡スチロール、牛乳パック、ペットボトルは、スーパーに持ち込みリサイクル！ 近くのスーパーで回収しているか確認しよう。

58 買った商品は簡易包装にしよう

買い物の時、簡易包装の品物を買おう。店員さんには、買った商品を包装しなくていいと伝えよう。

59 地元で買い物をしよう

地元で買い物をしよう。地元企業の雇用が守られるし、商品の輸送や人の移動にかかるエネルギーも抑えられる。

60 なるべく階段を使おう

エレベーター、エスカレーターに頼りすぎず、なるべく階段を使おう。電気を節約できる上に、健康にもいい！

61 ハンカチを使おう

ハンカチを持ち歩こう。ペーパータオルの節約になるし、ハンドドライヤーを使わない分、電気の節約にもなる。

62 歩いて移動しよう

二酸化炭素の排出を抑えるため、徒歩・自転車または公共交通機関で移動しよう。自動車はたくさんの人が乗る時だけにしよう。

63 肉ばかり食べるのをやめよう

お肉ばかり食べるのは好ましくないよ。牧畜は、森林を伐採し、牧草地にして、えさをやり、水をやり……実は環境への負荷が高い。

64 買うものを事前にリストにしよう

買うものをリストアップしてから、買い物をしよう。必要なものだけを買い、無駄な買い物はやめよう。

65 いらないものは売ろう

リサイクルショップやアプリを積極的に利用して、ものを再利用するようにしよう。

66 シェアやレンタルを活用しよう

スポーツ、レジャー用品など、たまにしか使わないものは、家族や友だちでシェアしたり、レンタルしたりしよう。

67 ポイ捨てはやめよう

バーベキューやピクニックのゴミは持ち帰ろう。海のゴミのうち8割は、ポイ捨てされたゴミなど、街から出ているんだ。

68 着る枚数を変えよう

冷暖房に頼りすぎず、着る枚数を変えてみよう。暑い夏は薄着で、寒い冬は重ね着して過ごそう。

69 打ち水をしよう

暑さを和らげるために、道路や玄関のすぐ外、外の壁に「打ち水」をしよう。早朝と夕方に、水をまくのが効果的だよ。

70 咳エチケットを守ろう

咳やくしゃみをする時、マスクやハンカチ、服の袖で口を押さえて。手で押さえると、ウイルスがドアノブなどに付いて、他の人に感染症が移るおそれがあるよ。

学校でできること

71 友だちの悩みを聞いてあげよう

元気のなさそうな友だちに声をかけてみよう。悩みを直接解決できなくても、相談窓口を調べて、教えてあげることも大切だよ。

72 ピクトグラムを作ろう

外国人の友だちにもわかるようなピクトグラム（絵文字）を作ろう。保健室、図書室、理科室といった特別教室は、どんな絵にするとわかりやすい？

73 仕事は男女平等でやろう

「男子のやること」「女子のやること」と決めつけるのはやめよう。学校での委員など、役割分担を男女平等にしよう。

74 ものをなくさないようにしよう

文房具などに自分の名前を書いたり、シールを貼ったりして、なくさないようにしよう。また新しく買うのはもったいない。

75 鉛筆はギリギリまで使おう

短くなった鉛筆はまだ使える。鉛筆ホルダーを付けて、ギリギリまで使おう。

76 図書館を利用しよう

本を買うだけではなく、図書館もたくさん利用しよう。本当に必要な本を買ったら、大切にしよう。

77 後輩にプレゼントしよう

使わなくなった教科書や参考書を後輩にあげよう。制服やジャージは大切に使い、小さくなったら後輩にプレゼント！

寄付をしよう

78 切手やはがきを寄付しよう

書き損じはがきや切手、未使用のQUOカードや図書カードを寄付しよう。どんな団体が寄付を受け付けているか調べよう。

---

79 ポイントを寄付できるか調べよう

ポイントカードなどで貯まったポイントを寄付できるよ。自分や家族が使っているカードで寄付ができるか調べてみよう。

---

80 募金箱にお金を入れてみよう

おつりをレジ横の募金箱に入れてみよう！

---

81 ペットボトルのキャップを集めよう

ペットボトルを買ったら、キャップを寄付しよう。1000個のキャップでポリオという感染症のワクチン1本分になり、1人の命を救うことができる。

---

82 いらないものを寄付しよう

衣服、本、家具など、使わないものは寄付しよう。災害や紛争で苦しむ人を助けられるよ。どこに何を寄付すればいいか、調べてみよう。

---

83 ヘアドネーションをしてみよう

髪の毛を寄付する「ヘアドネーション」をしよう。切った後の自分の髪の毛が、病気で髪の毛がなくなった人のウィッグ（かつら）になるよ。

---

84 フードバンクに寄付しよう

まだ食べられる缶詰、冷凍食品、野菜などの食品が余ったら、フードバンクに寄付しよう。食品ロスの削減と困っている人の助けになる。

マークを知ろう

85 学校給食支援に貢献しよう

このマークの付いている商品を買うと、代金の一部が途上国における国連WFPの学校給食支援に使われるよ。買い物の時、このマークがないか見てみよう。

レッドカップ
キャンペーンマーク

---

86 エコマークを目印にしよう

このマークは環境に優しいとされる製品やサービスに付いているよ。商品の材料や作り方、廃棄の仕方などが基準なんだ。商品を選ぶ時の目印になるよ。

エコマーク

---

87 森林を守ろう

適切に森林が管理されていることを示すFSC® 認証の紙を買おう。環境に配慮し、経済的に持続可能か確認されたものに付いているよ。

FSCマーク

---

88 魚を買う時は２つのラベルに注目しよう

魚を買う時は2つのラベルに注目！　MSC認証は海の環境や資源を守って獲られた魚、ASC認証は環境と地域社会に配慮して養殖された魚に付けられるラベルだよ。

MSCラベル

ASCラベル

---

89 フェアトレードの商品を選ぼう

発展途上国の生産者と、適正な価格で取引しているフェアトレードの商品を選ぼう。例えば、この２つのマークが目印になるよ。

GUARANTEED
FAIR TRADE

WFTO
フェアトレード保証ラベル

国際フェアトレード認証ラベル

90 車いすマークを確認しよう

障碍のある人が利用できる建物を示す世界共通のマーク。駐車場、バス、トイレなどにあるよ。

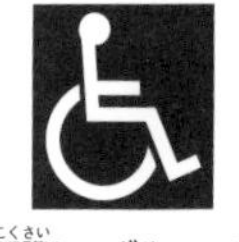

国際シンボルマーク

91 マタニティマークに気をつけよう

マタニティマークは、妊娠中や産後間もない人が付けているマーク。付けている人を見たら、席を譲ったり、声をかけたり、配慮しよう。

マタニティマーク

92 義足や人工関節などの人に席を譲ろう

このマークは、義足や人工関節の人など、見た目ではわからないけれど配慮が必要な人が付けているよ。席を譲るなどの配慮をしよう。

ヘルプマーク

93 内臓に障碍がある人にも配慮しよう

心臓、肝臓など、内臓に障碍がある人を表すマークだよ。見た目では障碍があるとわからないので、優先席に座ると冷たい目で見られることも。配慮しよう。

ハート・プラスマーク

94 耳マークを確認しよう

耳が不自由なことを周囲に伝えるためのマーク。また、銀行や商店といった場所で、筆談などの対応が可能なことを表すよ。

耳マーク

95 誰もが利用しやすいタクシーか調べよう

このマークは、手すりやスロープなど、乗り降りをしやすい設備が整っているタクシーを表すよ。車いすの人も利用しやすいんだ。

ユニバーサルデザイン
タクシーマーク

96 耳の不自由な人が運転する車に配慮しよう

このマークは、耳が不自由な人が自動車を運転していることを表すよ。周りの音に気づかないことがあるので、配慮しよう！

聴覚障害者標識

97

身体障碍者が運転する車に配慮しよう

このマークは、身体に障碍がある人が自動車を運転していることを表すよ。見かけたら、配慮しよう。

身体障害者標識

98

津波の危険性があるか調べよう

津波注意のマーク。津波が到達する危険のある地域に表示してあるよ。地震がきたら、揺れが大きくなくても逃げよう。

津波注意/高潮注意

避難場所を確認しよう

災害が起きた時に避難できる場所を確認しよう。一時的な避難場所、公民館などの一定期間生活ができる避難所、津波が発生した時に逃げる津波避難場所（高台など）、津波避難ビルがあるよ。ハザードマップと一緒に確認しよう。

広域避難場所

避難所（建物）

津波避難場所

津波避難ビル

100

どの災害に適した避難場所か知ろう

災害の種類によって、避難する場所が異なるよ。いざという時に冷静に考えられるよう、どの災害の時にどこの避難場所に逃げるべきなのか、事前に確認しておこう。避難場所の案内に掲示されている災害のマークが目印だよ。

津波/高潮

大規模な火事

洪水/内水氾濫

土石流注意

土石流

崖崩れ・地滑り注意

崖崩れ・地滑り

他(ほか)にも考(かんが)えてみよう

101

102

103

104

105

コラム

SDGs実現に向けた世界のアイディア

海外の団体の取り組みによるSDGsの解決事例をいくつかご紹介しましょう。

まず1つ目は、食品ロスを解消しようと、オーストラリアの市民団体が始めたスーパー「オズハーベストマーケット」。パンやコーンフレーク、ビスケット、野菜や果物などの生鮮食品が並ぶ、一見、普通のスーパーですが、なんと商品はすべて無料！　買い物客はかごに好きなものを入れたら、レジを通らずに持って帰ることができるのです。そのため、ほとんどの商品が開店している4時間のうちになくなるそうです。

なぜ無料にできるのかというと、他のスーパーマーケットや食品会社から余らせてしまった消費期限間近の食品を譲り受けたり、買い物客に可能な限り寄付をお願いしたり、ボランティアを募ったりしているのだとか。このスーパーはデンマークでオープンした世界初の余った食品を扱ったスーパーに触発されたそうですが、無料はこちらが世界初ということです。

ここにある商品は全部タダ！　日本にもあったらいいのに（写真：OzHarvest）

もう１つの取り組みをご紹介します。大人気のゲーム「Pokémon GO」を開発、運営する会社「ナイアンティック」が、ゲームの中で主人公が着用する洋服のレパートリーに、SDGsのロゴ入りのTシャツを追加しました。ゲームを通じて、利用者にSDGsを認知してもらおうというのが狙いです。

みなさんも、世界で他にどんな事例があるか調べてみましょう。

第5章

考えよう！ニッポンの課題

日本が今、直面している課題に向き合いましょう。世の中、白黒はっきりつけられない問題ばかり。まずは、簡単な説明文を読んだあと、犬さんと猫さんの意見を見てみよう。そして、2つの問いについて話し合ってみて、いろいろな考え方があることを知ろう。そして、みんなでどうやって協力すれば解決できるか考えよう。

豊かな暮らしと環境、どっちが大事？

火力発電、工場、自動車……これまでに先進国では、たくさんのエネルギーを使って、二酸化炭素をたくさん排出してきました。結果として、地球温暖化といった環境問題が深刻化。貧困の解決には経済成長が欠かせないけど、環境への負荷が大きくなる。お金と環境、どっちが大事？

環境のために、山にこもろう！

山とかでのんびり暮らさない？　たくさん使う生活はやめにしようよ。

最近では、必要最小限のモノだけを大切に使い続ける人たち（ミニマリスト）もいるし、肉を食べずに、野菜だけを食べる人も珍しくない。食肉用の牛や豚を育てるには大量の餌と水が必要だから、環境によくないんだ。スマホも使えなくてもいいでしょ？

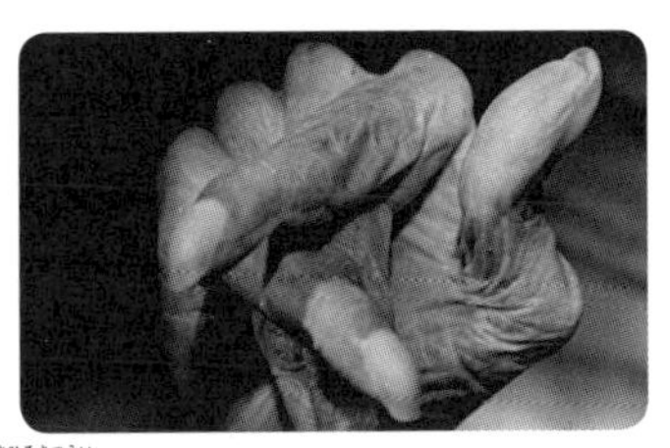

水俣病の患者。右は手のアップ（写真：ともに野崎正寛撮影）

今の生活を捨てるなんて、難しいよ！

経済を優先すると問題なのはわかる。日本でも公害が問題になった。例えば、水俣病。熊本県などでは、化学工場から流れた有機水銀が混ざった水で、海に住む魚や貝が汚染。それを食べた人間や家畜に健康被害が広がったんだよね。

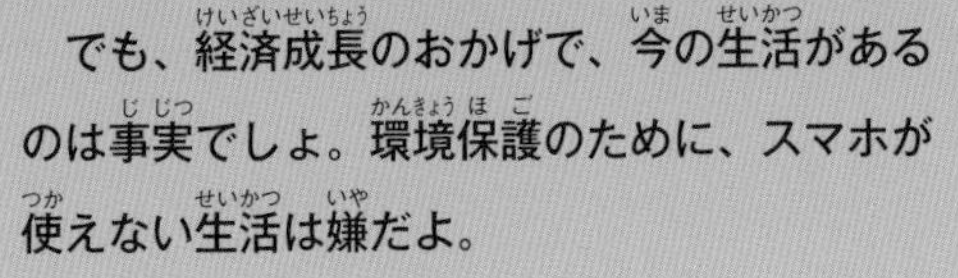

でも、経済成長のおかげで、今の生活があるのは事実でしょ。環境保護のために、スマホが使えない生活は嫌だよ。

みんなはどう思う？

Q1 環境を守るために、あなたは自分の生活をどれくらい変えることができるでしょうか。

Q2 先進国は「環境を守ろう！」と世界に呼びかけています。でも、発展途上国からは「先進国は環境を壊して金儲けしてきたのに、おれらはダメなの？」という批判も。先進国と発展途上国、あなたはどちらを支持しますか。また、どういう案なら両者は納得がいくと思いますか。

働けない人を国はどれだけ助けるべき？

働かずに生活保護で暮らす人を「ズルい」と批判する人がいます。でも、病気や怪我、突然の失業など、自力では解決できない問題で生活に困ることは誰にでもあります。そんな時、国が生活の保障をしてくれます。それが社会保障制度です。国はどのぐらい私たちの生活を保障すべきで、私たちは税金をどのぐらい負担するべきなのでしょうか。

税金は高くても、社会保障の充実を

社会保障が充実しているスウェーデンでは、大学までの学費が無料だから、生まれた家の所得にかかわらず進学できるんだ。医療費も子どもとお年寄りは無料。失業した場合の手当も手厚い。

一方で、日本の消費税にあたる付加価値税は25%と高額。でも、いつ自分や家族が怪我や病気をするかわからないし、社会保障がしっかりしていた方がいい。

左は日本の炊き出しの風景、右はアメリカのホームレス（写真：ともにGetty Images）

税金は安くて、自己責任の方がいい

アメリカは、自己責任の考え方が強いんだ。だから、貧しい人にとっては大変。アメリカは、医療費も高額だし、救急車を呼ぶにもお金がかかる。お金持ちは高度な医療を受けられるけど、貧しい人は病院に行けないこともある。

でも、税金は安いんだ。消費税にあたる売上税は州によって異なり、低い州では0%、高い州でも10%。税金は高いより安い方がいいよ。お金を稼いだ場合は、自分の好きなように使えるんだ。

みんなはどう思う？

Q1 あなたは日本の消費税について、高いと思いますか、安いと思いますか。

Q2 税金は高いけど福祉が充実しているスウェーデンのような社会もあれば、福祉は充実していないけど、税負担の小さいアメリカのような社会もあります。あなたはどんな社会が平等だと思いますか？

幸せって何だろう？

日本では将来を悲観したり、他人と自分を比べたりして、心が豊かでない人が多いそうです。一方、発展途上国では、将来に対して明るい希望を持つ人が多いとのこと。豊かで便利だから幸せ、とは限らないようです。確かに、今やメッセージは携帯で送れるのに、手書きで心を込めて手紙を書くおばあちゃんはどこか幸せそう。幸せって何だろう？

幸せは経済的な豊かさから

多少居心地が悪くても、便利さ、豊かさの方が大事だよ。

日本にも問題はあるよ。自殺死亡率は9位と先進国の中でも高い。少子化で働く人は減っているし、日本の経済的な存在感は今後薄くなることが予想されているよ。

それでも、国の経済規模を表すGDPを見れば、日本は世界第3位。だからこそ、いっぱいものがあって、便利な生活ができる。なんだかんだで幸せじゃない？

左はホセ・ムヒカさん、右は日本の繁華街。どっちが幸せ？
（左：Getty Images、右：MADSOLAR / Shutterstock.com）

質素な暮らしでも幸せだよ

お金より笑って暮らせる方が大事だよ。いじめ、虐待、自殺が多いのは嫌でしょ。

ウルグアイのホセ・ムヒカっていう元大統領は、現役時代、給料の９割を寄付し、自らは質素な暮らしをしていたことから「世界で一番貧しい大統領」と呼ばれていたんだ。彼は「富を求めるよりも人生には大切なことがある」と言っていたけど、その通りだよ。

みんなはどう思う？

Q1 あなたは、どんな時に幸せを感じますか？　何にワクワクしますか？　いろいろな幸せのタネを見つけてみましょう。

Q2 国連の関連団体による幸福度の調査では、世界の中で日本は62位で、日本よりGDPの小さい国々が上位にきていました。なぜ、世界でも裕福な日本人の幸福度は高くないのでしょう？

日本は難民をどうすべき？

世界には、紛争や迫害によって母国を追われている人が大勢います。これが難民です。さまざまな国が難民を受け入れていますが、日本で令和元年に難民認定されたのは44人でした。日本も、もっと難民を受け入れるべきという声もありますが、受け入れの拡大によって多くの税金が使われたり治安が悪化したりするのではないか、という不安の声もあります。

バンバン受け入れよう

紛争の続くシリアでは、660万人もの市民が避難している。何とか難民キャンプにたどり着いても、水や食料不足、寒さによって、小さな子は亡くなることもあるとか。ちなみに、世界の難民のうち約半分は18歳未満の子どもらしいよ。

日本は平和で幸せなんだから、困っている人を助けないなんておかしいよ。それに難民を救う日本ってかっこよくない？

左はシリア難民、右はじゅうたんを作っているチベット難民（左：Getty Images、右：著者）

増やしたらダメだって

難民を先進国で最も多く受け入れているのはドイツ。難民のために、年間２兆円を超えるお金を使っているよ。でも、彼らの衣食住をまかなうお金を払うのは、自分だったらちょっと納得できない。

また、難民としてドイツに入国した人が、時には生活苦で犯罪を起こすこともあるらしいよ。

難民はかわいそうだけど、日本人が住みにくくなるのは困る。

みんなはどう思う？

Q1 あなたは海外に行ったり、外国人と出会ったりして、文化の違いを感じたことはありますか？

Q2 日本は、難民の受け入れを増やすべきだと思いますか？　また、もし自分の学校や職場で難民と過ごすことになったら、賛成しますか？

地域交流なんてもう不要？

あなたは、近所にどんな人が住んでいるか知っていますか？今、地域のつながりは、どんどん希薄になっています。これでは災害の時に困るという声がある一方で、知らない人と交流することに抵抗を感じる人もいます。地域のつながりについて、あなたはどう考えますか？

地域で助け合いながら生活できる

地域のつながりは大切だよ。近所の子どもを注意したり、一緒に遊んだり勉強を見てあげるなど、地域全体で子どもを育てることができる。貧しい子どもも「子ども食堂」などを開くことでを救えるんだ。

災害の時だって、顔見知りの方が助け合えるよ。隣の家のおいしいご飯のおすそ分けももらえたりするし、最高！

左は子ども食堂で、右はお祭りの様子。地域のつながりは面倒？　それとも必要？
（左：共同通信社、右：MasaPhoto / Shutterstock.com）

地域のつながりは面倒くさい

地域のつながりは面倒だよ。うちの親も夏祭りの手伝いとか疲れるし、気を遣うって言ってる。それに隣近所に変な人がいる場合、犯罪に巻き込まれる可能性もある。

防災も自分で備えれば、きっと大丈夫だよ。気の合う人ならネットにいるし、さみしくないよ。

みんなはどう思う？

Q1 地域の行事に参加したことはありますか？　地域のつながりでいいと思ったことや嫌だと思ったことなど、自分の体験談を共有してみよう。

Q2 地域のつながりがなくなることのいい点、悪い点を考え、地域のつながりが必要かどうか、話し合ってみよう。

コラム

見せかけだけの取り組み、SDGsウォッシュ

「SDGsウォッシュ」は、SDGsに取り組んでいるように見せかけて、実際は何の貢献もしていないことを言います。

言葉の由来は、「ごまかし」という意味の「ホワイトウォッシュ」という英語です。「環境に優しい」と言いながら上辺だけの取り組みをしていることを指す「グリーンウォッシュ」という造語が、少し前に海外で流行しました。その流れで出てきたのが、このSDGsウォッシュです。

例えば、食品会社が、SDGsの考えを理解せず、今まで通り商品を売っているだけであれば、目標2「飢餓をゼロに」について努力しているとは言えません。

にもかかわらず、SDGsのロゴマークを自社のサイトに貼り付け、取り組んでいるふりをしていることがあります。これは、SDGsに積極的に取り組んでいることをアピールすれば、社会やお客さんから「いい会社だ」という評価がもらえて、企業のイメージアップや業績アップにつながるからです。

SDGsのバッジをつけている人が増えたけど、本当にSDGsに向かって行動しているのかな？（写真：著者）

SDGsが浸透していくことはよいことですが、SDGsウォッシュも増えていくようでは、社会はいつまでたっても変わりません。企業にとっても、後で「SDGsウォッシュだ」と言われると、信用を失うことになります。

このような動きに歯止めをかけようと、専門家や広告会社などはSDGsウォッシュについて注意を促し、「誠実さ」の重要性を訴えています。

繰り返しになりますが、見かけ倒しの取り組みでは意味がありません。SDGsの達成には、私たちの本気度が試されているのです。

監修者から

2015年の9月にSDGsが発表されて以来、国内外でSDGsに関する多くの取り組みが見られるようになりました。自身の取り組みを17の目標と関連づけたり、目標ごとのワークショップが開催されたり、さまざまな取り組みが行われています。SDGsに対する関心を高めることは重要ですが、それよりも重要なのは、SDGsの本質を理解することです。

私は、SDGsの世界観には、（1）地球の限界に配慮しなければならないという「地球惑星的世界観」、（2）誰ひとり取り残さないという人権と参加原理に基づく「社会包容的世界観」、変容という異なる未来社会を求める「変容の世界観」があると考えています。また、SDGsの特徴については、（1）複雑な問題への対応（テーマの統合性、同時解決性）、（2）共有された責任としての対応（万国・万人に適用される普遍性・衡平性）を挙げています。今後、このような世界観・特徴といったSDGsの本質に対応をすることが求められていると言えるでしょう。

さらに、最近、よく言われることに「SDGsの自分ごと化」があります。SDGsをただ学ぶだけでなく、どれだけ自分ごととして捉え、自身の行動や、多様な人たちとの協働（パートナーシップ）へと次元を変えていくかが問われています。

では、「SDGsの自分ごと化」とはどういうことでしょうか？　私は、身近な事例と関連づけ（文脈的）、社会課題を多角的に掘り下げ（批判的）、さまざまな事象がつながっていることを認識し（統合的）、社会の変容と自身の変容にチャレンジする（変容的）ことがとても重要であると考えています。本書で取り扱われているさまざまな具体的な事例が、「SDGsの自分ごと化」に役立つと確信をしています。

2050年には世界の人口が100億人近くになると言われています。地球の限界に近づく人口増加の状況で、私たちに求められているのは「変容」です。頭で理解していることを、どう行動へと移すことができるか。さらには、多くの人たちと協働できるかが問われています。待ったなしの時代、明るい未来をつくるためにも、力を持ち寄る協働を是非、一緒にやりませんか！

東京都市大学大学院教授　佐藤 真久

おわりに

「ありがとう」と言われる楽しさを広めたい——これが社会問題を私がみなさんにお伝えしたいと思う理由の1つです。世界各国の青年海外協力隊のボランティアの方に何度も密着取材をした経験から、そう考えるようになりました。

隊員の中には、私と同世代の方もいましたが、みんな楽しそうに生き生きと仕事をしていました。日本で満員電車に揺られて会社に通う人たちとは全く違う姿に、私は本当に驚きました。

「なんでこんなに違うんだろう？」

そんな疑問を持ちながら様子を見ていると、ボランティアの人たちが「はるばるこんな遠い国まで来てくれてありがとう」と現地の方に毎日感謝されているのに気づきました。

ボランティアは誰かのためだけではなく、自分たちの幸せにもつながっていたのです。

確かに、誰かに「ありがとう」と言われることは最高にうれしいし、幸せです。自己肯定感がこの上なく高まります。会社や学校で辛いことがあっても、自分の仕事や自分の存在が誰かの役に立っていると思えたら、毎日の景色が変わります。

だから、自分の得意な分野や好きなことで、社会貢献をどんどん実行し、この楽しさをみなさんにも味わって欲しい。私が全国の学校に出張授業に行って社会問題を扱うのも、そのハードルの高さをお笑いの力で下げるためでもあるのです。

みなさんも、この本でSDGsを学ぶだけではなく、誰かに「ありがとう」と言われるように、行動に移してみませんか？　自分たちの子どもや孫、ひ孫の世代に自信をもって、「こんな社会に生まれて幸せ」「この地球が大好き」と思ってもらえるようにしましょう。

SDGsは目標です。目標達成のために行動しなければ意味がありません。一緒にがんばりましょう！

お笑い芸人／お笑いジャーナリスト　たかまつなな

たかまつななのSDGsの取り組み

全国の学校で出張授業をさせていただいています。

体育館で1000人近い生徒さんに向けて授業をすることもあり、やりがいを感じます。

企業や自治体の人向けに授業をすることも。写真は、外務省とJICA、JANICの共催で行われた「グローバルフェスタJAPAN」でお笑いコンビ、たんぽぽさんと授業をした時のものです。

授業の中では、オリジナルで考案した「SDGsババ抜きカードゲーム」ワークショップも行います。インターネットでも販売中なので、よろしければ笑下村塾のホームページを検索してみてください！

付録

17個の目標の中には、目標をより具体化した169のターゲットがあり、さらに、その達成度合いを測るための232の指標が提示されています。詳しく知りたい人は、見てみましょう。

※各目標文は、SDGs副教材「私たちがつくる持続可能な世界」(日本ユニセフ協会)から、ターゲットと指標は、外務省「Japan SDGs Action Platform」からの転載。

ゴール1 あらゆる場所のあらゆる形態の貧困を終わらせよう

ターゲット	指　標
1.1 2030年までに、現在1日1.25ドル未満で生活する人々と定義されている極度の貧困をあらゆる場所で終わらせる。	1.1.1 国際的な貧困ラインを下回って生活している人口の割合(性別、年齢、雇用形態、地理的ロケーション(都市/地方)別)
1.2 2030年までに、各国定義によるあらゆる次元の貧困状態にある、全ての年齢の男性、女性、子供の割合を半減させる。	1.2.1 各国の貧困ラインを下回って生活している人口の割合(性別、年齢別)
	1.2.2 各国の定義に基づき、あらゆる次元で貧困ラインを下回って生活している男性、女性及び子供の割合(全年齢)
1.3 各国において最低限の基準を含む適切な社会保護制度及び対策を実施し、2030年までに貧困層及び脆弱層に対し十分な保護を達成する。	1.3.1 社会保障制度によって保護されている人口の割合(性別、子供、失業者、年配者、障害者、妊婦、新生児、労務災害被害者、貧困層、脆弱層別)
1.4 2030年までに、貧困層及び脆弱層をはじめ、全ての男性及び女性が、基礎的サービスへのアクセス、土地及びその他の形態の財産に対する所有権と管理権限、相続財産、天然資源、適切な新技術、マイクロファイナンスを含む金融サービスに加え、経済的資源についても平等な権利を持つことができるように確保する。	1.4.1 基礎的サービスにアクセスできる世帯に住んでいる人口の割合
	1.4.2 (a)土地に対し、法律上認められた書類により、安全な所有権を有している全成人の割合(性別、保有の種類別) (b) 土地の権利が安全であると認識している全成人の割合(性別、保有の種類別)
1.5 2030年までに、貧困層や脆弱な状況にある人々の強靱性(レジリエンス)を構築し、気候変動に関連する極端な気象現象やその他の経済、社会、環境的ショックや災害に暴露や脆弱性を軽減する。	1.5.1 10万人当たりの災害による死者数、行方不明者数、直接的負傷者数(指標11.5.1及び13.1.1と同一指標)
	1.5.2 グローバルGDPに関する災害による直接的経済損失
	1.5.3 仙台防災枠組み2015-2030に沿った国家レベルの防災戦略を採択し実行している国の数(指標11.b.1及び13.1.2と同一指標)
	1.5.4 国家防災戦略に沿った地方レベルの防災戦略を採択し実行している地方政府の割合(指標11.b.2及び13.1.3と同一指標)
1.a あらゆる次元での貧困を終わらせるための計画や政策を実施するべく、後発開発途上国をはじめとする開発途上国に対して適切かつ予測可能な手段を講じるため、開発協力の強化などを通じて、さまざまな供給源からの相当量の資源の動員を確保する。	1.a.1 政府によって貧困削減計画に直接割り当てられた国内で生み出された資源の割合
	1.a.2 総政府支出額に占める、必要不可欠なサービス(教育、健康、及び社会的な保護)への政府支出総額の割合
	1.a.3 貧困削減計画に直接割り当てられた助成金及び非譲渡債権の割合(GDP比)
1.b 貧困撲滅のための行動への投資拡大を支援するため、国、地域及び国際レベルで、貧困層やジェンダーに配慮した開発戦略に基づいた適正な政策的枠組みを構築する。	1.b.1 女性、貧困層及び脆弱層グループに重点的に支援を行うセクターへの政府からの周期的な資本投資

ゴール2 飢餓を終わらせ、全ての人が一年を通して栄養のある十分な食料を確保できるようにし、持続可能な農業を促進しよう

ターゲット	指標
2.1 2030年までに、飢餓を撲滅し、全ての人々、特に貧困層及び幼児を含む脆弱な立場にある人々が一年中安全かつ栄養のある食料を十分得られるようにする。	2.1.1 栄養不足蔓延率（PoU） 2.1.2 食料不安の経験尺度（FIES）に基づく、中程度又は重度な食料不安の蔓延度
2.2 5歳未満の子供の発育阻害や消耗性疾患について国際的に合意されたターゲットを2025年までに達成するなど、2030年までにあらゆる形態の栄養不良を解消し、若年女子、妊婦・授乳婦及び高齢者の栄養ニーズへの対処を行う。	2.2.1 5歳未満の子供の発育阻害の蔓延度（WHO子ども成長基準で、年齢に対する身長が中央値から標準偏差-2未満） 2.2.2 5歳未満の子供の栄養不良の蔓延度（WHOの子ども成長基準で、身長に対する体重が、中央値から標準偏差+2超又は-2未満）（タイプ別（やせ及び肥満））
2.3 2030年までに、土地、その他の生産資源や、投入財、知識、金融サービス、市場及び高付加価値化や非農業雇用の機会への確実かつ平等なアクセスの確保などを通じて、女性、先住民、家族農家、牧畜民及び漁業者をはじめとする小規模食料生産者の農業生産性及び所得を倍増させる。	2.3.1 農業/牧畜/林業企業規模の分類ごとの労働単位あたり生産額 2.3.2 小規模食料生産者の平均的な収入（性別、先住民・非先住民の別）
2.4 2030年までに、生産性を向上させ、生産量を増やし、生態系を維持し、気候変動や極端な気象現象、干ばつ、洪水及びその他の災害に対する適応能力を向上させ、漸進的に土地と土壌の質を改善させるような、持続可能な食料生産システムを確保し、強靭（レジリエント）な農業を実践する。	2.4.1 生産的で持続可能な農業の下に行われる農業地域の割合
2.5 2020年までに、国、地域及び国際レベルで適正に管理及び多様化された種子・植物バンクなども通じて、種子、栽培植物、飼育・家畜化された動物及びこれらの近縁野生種の遺伝的多様性を維持し、国際的合意に基づき、遺伝資源及びこれに関連する伝統的な知識へのアクセス及びその利用から生じる利益の公正かつ衡平な配分を促進する。	2.5.1 中期又は長期保存施設に保存されている食料及び農業のための植物及び動物の遺伝資源の数 2.5.2 絶滅の危機にある、絶滅の危機にはない、又は、不明というレベルごとに分類された在来種の割合
2.a 開発途上国、特に後発開発途上国における農業生産能力向上のために、国際協力の強化などを通じて、農村インフラ、農業研究・普及サービス、技術開発及び植物・家畜のジーン・バンクへの投資の拡大を図る。	2.a.1 政府支出における農業指向指数 2.a.2 農業部門への公的支援の全体的な流れ（ODA及び他の公的支援の流れ）
2.b ドーハ開発ラウンドのマンデートに従い、全ての農産物輸出補助金及び同等の効果を持つ全ての輸出措置の同時撤廃などを通じて、世界の市場における貿易制限や歪みを是正及び防止する。	2.b.1 農業輸出補助金
2.c 食料価格の極端な変動に歯止めをかけるため、食料市場及びデリバティブ市場の適正な機能を確保するための措置を講じ、食料備蓄などの市場情報への適時のアクセスを容易にする。	2.c.1 食料価格の変動指数（IFPA）

ゴール3 あらゆる年齢の全ての人々の健康的な生活を確保し、福祉を促進しよう

ターゲット	指標
3.1 2030年までに、世界の妊産婦の死亡率を出生10万人当たり70人未満に削減する。	3.1.1 妊産婦死亡率 3.1.2 専門技能者の立ち会いの下での出産の割合
3.2 全ての国が新生児死亡率を少なくとも出生1,000件中12件以下まで減らし、5歳以下死亡率を少なくとも出生1,000件中25件以下まで減らすことを目指し、2030年までに、新生児及び5歳未満児の予防可能な死亡を根絶する。	3.2.1 5歳未満児死亡率 3.2.2 新生児死亡率
3.3 2030年までに、エイズ、結核、マラリア及び顧みられない熱帯病といった伝染病を根絶するとともに肝炎、水系感染症及びその他の感染症に対処する。	3.3.1 非感染者1,000人当たりの新規HIV感染者数（性別、年齢及び主要層別） 3.3.2 10万人当たりの結核感染者数 3.3.3 1,000人当たりのマラリア感染者数 3.3.4 10万人当たりのB型肝炎感染者数 3.3.5 「顧みられない熱帯病」（NTDs）に対して介入を必要としている人々の数
3.4 2030年までに、非感染性疾患による若年死亡率を、予防や治療を通じて3分の1減少させ、精神保健及び福祉を促進する。	3.4.1 心血管疾患、癌、糖尿病、又は慢性の呼吸器系疾患の死亡率 3.4.2 自殺率
3.5 薬物乱用やアルコールの有害な摂取を含む、物質乱用の防止・治療を強化する。	3.5.1 物質使用障害に対する治療介入（薬理学的、心理社会的、リハビリ及びアフターケア・サービス）の適用範囲 3.5.2 1年間（暦年）の純アルコール量における、（15歳以上の）1人当たりのアルコール消費量に対しての各国の状況に応じ定義されたアルコールの有害な使用（ℓ）
3.6 2020年までに、世界の道路交通事故による死傷者を半減させる。	3.6.1 道路交通事故による死亡率
3.7 2030年までに、家族計画、情報・教育及び性と生殖に関する健康の国家戦略・計画への組み入れを含む、性と生殖に関する保健サービスを全ての人々が利用できるようにする。	3.7.1 近代的手法によって、家族計画についての自らの要望が満たされている出産可能年齢（15～49歳）にある女性の割合 3.7.2 女性1,000人当たりの青年期（10～14歳；15～19歳）の出生率

3.8 全ての人々に対する財政リスクからの保護、質の高い基礎的な保健サービスへのアクセス及び安全で効果的かつ質が高く安価な必須医薬品とワクチンへのアクセスを含む、ユニバーサル・ヘルス・カバレッジ(UHC)を達成する。	3.8.1 必要不可欠な保健サービスのカバー率(一般及び最も不利な立場の人々についての、生殖、妊婦、新生児及び子供の健康、感染性疾患、非感染性疾患、サービス能力とアクセスを含む追跡可能な介入を基にした必要不可欠なサービスの平均的なカバー率と定義)
	3.8.2 家計の支出又は所得に占める健康関連支出が大きい人口の割合
3.9 2030年までに、有害化学物質、並びに大気、水質及び土壌の汚染による死亡及び疾病の件数を大幅に減少させる。	3.9.1 家庭内及び外部の大気汚染による死亡率
	3.9.2 安全ではない水、安全ではない公衆衛生及び衛生知識不足(安全ではないWASH(基本的な水と衛生)にさらされていること)による死亡率
	3.9.3 意図的ではない汚染による死亡率
3.a 全ての国々において、たばこの規制に関する世界保健機関枠組条約の実施を適宜強化する。	3.a.1 15歳以上の現在の喫煙率(年齢調整されたもの)
3.b 主に開発途上国に影響を及ぼす感染性及び非感染性疾患のワクチン及び医薬品の研究開発を支援する。また、知的所有権の貿易関連の側面に関する協定(TRIPS協定)及び公衆の健康に関するドーハ宣言に従い、安価な必須医薬品及びワクチンへのアクセスを提供する。同宣言は公衆衛生保護及び、特に全ての人々への医薬品のアクセス提供にかかわる「知的所有権の貿易関連の側面に関する協定(TRIPS協定)」の柔軟性に関する規定を最大限に行使する開発途上国の権利を確約したものである。	3.b.1 各国の国家計画に含まれる全てのワクチンによってカバーされている対象人口の割合
	3.b.2 薬学研究や基礎的保健部門への純ODAの合計値
	3.b.3 持続可能な水準で、関連必須医薬品コアセットが入手可能かつその価格が手頃である保健施設の割合
3.c 開発途上国、特に後発開発途上国及び小島嶼開発途上国において保健財政及び保健人材の採用、能力開発・訓練及び定着を大幅に拡大させる。	3.c.1 医療従事者の密度と分布
3.d 全ての国々、特に開発途上国の国家・世界規模な健康危険因子の早期警告、危険因子緩和及び危険因子管理のための能力を強化する。	3.d.1 国際保健規則(IHR)キャパシティと健康危機への備え

ゴール4 全ての人が受けられる公正で質の高い教育の完全普及を達成し、生涯にわたって学習できる機会を増やそう

ターゲット	指　標
4.1 2030年までに、全ての子供が男女の区別なく、適切かつ効果的な学習成果をもたらす、無償かつ公正で質の高い初等教育及び中等教育を修了できるようにする。	4.1.1 (i)読解力、(ii)算数について、最低限の習熟度に達している次の子供や若者の割合(性別ごと) (a)2～3学年時、(b)小学校修了時、(c)中学校修了時
4.2 2030年までに、全ての子供が男女の区別なく、質の高い乳幼児の発達・ケア及び就学前教育にアクセスすることにより、初等教育を受ける準備が整うようにする。	4.2.1 健康、学習及び心理社会的な幸福について、順調に発育している5歳未満の子供の割合(性別ごと)

	4.2.2 (小学校に入学する年齢より1年前の時点で)体系的な学習に参加している者の割合(性別ごと)
4.3 2030年までに、全ての人々が男女の区別なく、手の届く質の高い技術教育・職業教育及び大学を含む高等教育への平等なアクセスを得られるようにする。	4.3.1 過去12か月に学校教育や学校教育以外の教育に参加している若者又は成人の割合(性別ごと)
4.4 2030年までに、技術的・職業的スキルなど、雇用、働きがいのある人間らしい仕事及び起業に必要な技能を備えた若者と成人の割合を大幅に増加させる。	4.4.1 ICTスキルを有する若者や成人の割合(スキルのタイプ別)
4.5 2030年までに、教育におけるジェンダー格差を無くし、障害者、先住民及び脆弱な立場にある子供など、脆弱層があらゆるレベルの教育や職業訓練に平等にアクセスできるようにする。	4.5.1 詳細集計可能な、本リストに記載された全ての教育指数のための、パリティ指数(女性/男性、地方/都市、富の五分位数の底/トップ、またその他に、障害状況、先住民、紛争の影響を受けた者等の利用可能なデータ)
4.6 2030年までに、全ての若者及び大多数(男女ともに)の成人が、読み書き能力及び基本的計算能力を身に付けられるようにする。	4.6.1 実用的な(a)読み書き能力、(b)基本的計算能力において、少なくとも決まったレベルを達成した所定の年齢層の人口割合(性別ごと)
4.7 2030年までに、持続可能な開発のための教育及び持続可能なライフスタイル、人権、男女の平等、平和及び非暴力的文化の推進、グローバル・シチズンシップ、文化多様性と文化の持続可能な開発への貢献の理解の教育を通して、全ての学習者が、持続可能な開発を促進するために必要な知識及び技能を習得できるようにする。	4.7.1 ジェンダー平等および人権を含む、(i)地球市民教育、及び(ii)持続可能な開発のための教育が、(a)各国の教育政策、(b)カリキュラム、(c)教師の教育、及び(d)児童・生徒・学生の達成度評価に関して、全ての教育段階において主流化されているレベル
4.a 子供、障害及びジェンダーに配慮した教育施設を構築・改良し、全ての人々に安全で非暴力的、包摂的、効果的な学習環境を提供できるようにする。	4.a.1 以下の設備等が利用可能な学校の割合 (a)電気、(b)教育を目的としたインターネット、(c)教育を目的としたコンピュータ、(d)障害を持っている学生のための適切な設備・教材、(e)基本的な飲料水、(f)男女別の基本的なトイレ、(g)基本的な手洗い施設(WASH指標の定義別)
4.b 2020年までに、開発途上国、特に後発開発途上国及び小島嶼開発途上国、並びにアフリカ諸国を対象とした、職業訓練、情報通信技術(ICT)、技術・工学・科学プログラムなど、先進国及びその他の開発途上国における高等教育の奨学金の件数を全世界で大幅に増加させる。	4.b.1 奨学金のためのODAフローの量(部門と研究タイプ別)
4.c 2030年までに、開発途上国、特に後発開発途上国及び小島嶼開発途上国における教員研修のための国際協力などを通じて、質の高い教員の数を大幅に増加させる。	4.c.1 各国における適切なレベルでの教育を行うために、最低限制度化された養成研修あるいは現職研修(例:教授法研修)を受けた(a)就学前教育、(b)初等教育、(c)前期中等教育、(d)後期中等教育に従事する教員の割合

ゴール5 男女平等を達成し、全ての女性及び女児の能力の可能性を伸ばそう

ターゲット	指　標
5.1 あらゆる場所における全ての女性及び女児に対するあらゆる形態の差別を撤廃する。	5.1.1 性別に基づく平等と差別撤廃を促進、実施及びモニターするための法律の枠組みが制定されているかどうか

5.2 人身売買や性的、その他の種類の搾取など、全ての女性及び女児に対する、公共・私的空間におけるあらゆる形態の暴力を排除する。	5.2.1 これまでにパートナーを得た15歳以上の女性や少女のうち、過去12か月以内に、現在、または以前の親密なパートナーから身体的、性的、精神的暴力を受けた者の割合（暴力の形態、年齢別） 5.2.2 過去12か月以内に、親密なパートナー以外の人から性的暴力を受けた15歳以上の女性や少女の割合（年齢、発生場所別）
5.3 未成年者の結婚、早期結婚、強制結婚及び女性器切除など、あらゆる有害な慣行を撤廃する。	5.3.1 15歳未満、18歳未満で結婚又はパートナーを得た20～24歳の女性の割合 5.3.2 女性性器切除を受けた15歳～49歳の少女や女性の割合（年齢別）
5.4 公共のサービス、インフラ及び社会保障政策の提供、並びに各国の状況に応じた世帯・家族内における責任分担を通じて、無報酬の育児・介護や家事労働を認識・評価する。	5.4.1 無償の家事・ケア労働に費やす時間の割合（性別、年齢、場所別）
5.5 政治、経済、公共分野でのあらゆるレベルの意思決定において、完全かつ効果的な女性の参画及び平等なリーダーシップの機会を確保する。	5.5.1 国会及び地方議会において女性が占める議席の割合 5.5.2 管理職に占める女性の割合
5.6 国際人口・開発会議（ICPD）の行動計画及び北京行動綱領、並びにこれらの検証会議の成果文書に従い、性と生殖に関する健康及び権利への普遍的アクセスを確保する。	5.6.1 性的関係、避妊、リプロダクティブ・ヘルスケアについて、自分で意思決定を行うことのできる15歳～49歳の女性の割合 5.6.2 15歳以上の女性及び男性に対し、セクシュアル/リプロダクティブ・ヘルスケア、情報、教育を保障する法律や規定を有する国の数
5.a 女性に対し、経済的資源に対する同等の権利、並びに各国法に従い、オーナーシップ及び土地その他の財産、金融サービス、相続財産、天然資源に対するアクセスを与えるための改革に着手する。	5.a.1 (a)農地への所有権又は保障された権利を有する総農業人口の割合（性別ごと） (b)農地所有者又は権利者における女性の割合（所有条件別） 5.a.2 土地所有及び/又は管理に関する女性の平等な権利を保障している法的枠組（慣習法を含む）を有する国の割合
5.b 女性の能力強化促進のため、ICTをはじめとする実現技術の活用を強化する。	5.b.1 携帯電話を所有する個人の割合（性別ごと）
5.c ジェンダー平等の促進、並びに全ての女性及び女子のあらゆるレベルでの能力強化のための適正な政策及び拘束力のある法規を導入・強化する。	5.c.1 ジェンダー平等及び女性のエンパワーメントのための公的資金を監視、配分するシステムを有する国の割合

ゴール6 全ての人が安全な水とトイレを利用できるよう衛生環境を改善し、ずっと管理していけるようにしよう

ターゲット	指標
6.1 2030年までに、全ての人々の、安全で安価な飲料水の普遍的かつ平等なアクセスを達成する。	6.1.1 安全に管理された飲料水サービスを利用する人口の割合
6.2 2030年までに、全ての人々の、適切かつ平等な下水施設・衛生施設へのアクセスを達成し、野外での排泄をなくす。女性及び女子、並びに脆弱な立場にある人々のニーズに特に注意を向ける。	6.2.1 (a)安全に管理された公衆衛生サービスを利用する人口の割合、(b)石けんや水のある手洗い場を利用する人口の割合
6.3 2030年までに、汚染の減少、投棄廃絶と有害な化学物質や物質の放出の最小化、未処理の排水の割合半減及び再生利用と安全な再利用の世界的規模での大幅な増加させることにより、水質を改善する。	6.3.1 安全に処理された排水の割合 6.3.2 良好な水質を持つ水域の割合
6.4 2030年までに、全セクターにおいて水の利用効率を大幅に改善し、淡水の持続可能な採取及び供給を確保し水不足に対処するとともに、水不足に悩む人々の数を大幅に減少させる。	6.4.1 水の利用効率の経時変化 6.4.2 水ストレスレベル：淡水資源量に占める淡水採取量の割合
6.5 2030年までに、国境を越えた適切な協力を含む、あらゆるレベルでの統合水資源管理を実施する。	6.5.1 統合水資源管理（IWRM）実施の度合い（0-100） 6.5.2 水資源協力のための運営協定がある越境流域の割合
6.6 2020年までに、山地、森林、湿地、河川、帯水層、湖沼などの水に関連する生態系の保護・回復を行う。	6.6.1 水関連生態系範囲の経時変化
6.a 2030年までに、集水、海水淡水化、水の効率的利用、排水処理、リサイクル・再利用技術など、開発途上国における水と衛生分野での活動や計画を対象とした国際協力と能力構築支援を拡大する。	6.a.1 政府調整支出計画の一部である上下水道関連のODAの総量
6.b 水と衛生に関わる分野の管理向上への地域コミュニティの参加を支援・強化する。	6.b.1 上下水道管理への地方コミュニティの参加のために制定し、運営されている政策及び手続のある地方公共団体の割合

ゴール7 全ての人が、安くて安定した持続可能な近代的エネルギーを利用できるようにしよう

ターゲット	指標
7.1 2030年までに、安価かつ信頼できる現代的エネルギーサービスへの普遍的アクセスを確保する。	7.1.1 電気を受電可能な人口比率 7.1.2 家屋の空気を汚さない燃料や技術に依存している人口比率

7.2 2030年までに、世界のエネルギーミックスにおける再生可能エネルギーの割合を大幅に拡大させる。	7.2.1 最終エネルギー消費量に占める再生可能エネルギー比率
7.3 2030年までに、世界全体のエネルギー効率の改善率を倍増させる。	7.3.1 エネルギー強度（GDP当たりの一次エネルギー）
7.a 2030年までに、再生可能エネルギー、エネルギー効率及び先進的かつ環境負荷の低い化石燃料技術などのクリーンエネルギーの研究及び技術へのアクセスを促進するための国際協力を強化し、エネルギー関連インフラとクリーンエネルギー技術への投資を促進する。	7.a.1 クリーンなエネルギー研究及び開発と、ハイブリッドシステムに含まれる再生可能エネルギー生成への支援に関する発展途上国に対する国際金融フロー
7.b 2030年までに、各々の支援プログラムに沿って開発途上国、特に後発開発途上国及び小島嶼開発途上国、内陸開発途上国の全ての人々に現代的で持続可能なエネルギーサービスを供給できるよう、インフラ拡大と技術向上を行う。	7.b.1 持続可能なサービスへのインフラや技術のための財源移行におけるGDPに占めるエネルギー効率への投資（%）及び海外直接投資の総量

ゴール8 誰も取り残さないで持続可能な経済成長を促進し、全ての人が生産的で働きがいのある人間らしい仕事に就くことができるようにしよう

ターゲット	指　標
8.1 各国の状況に応じて、一人当たり経済成長率を持続させる。特に後発開発途上国は少なくとも年率７%の成長率を保つ。	8.1.1 一人当たりの実質GDPの年間成長率
8.2 高付加価値セクターや労働集約型セクターに重点を置くことなどにより、多様化、技術向上及びイノベーションを通じた高いレベルの経済生産性を達成する。	8.2.1 就業者一人当たりの実質GDPの年間成長率
8.3 生産活動や適切な雇用創出、起業、創造性及びイノベーションを支援する開発重視型の政策を促進するとともに、金融サービスへのアクセス改善などを通じて中小零細企業の設立や成長を奨励する。	8.3.1 農業以外におけるインフォーマル雇用の割合（性別ごと）
8.4 2030年までに、世界の消費と生産における資源効率を漸進的に改善させ、先進国主導の下、持続可能な消費と生産に関する10か年計画枠組みに従い、経済成長と環境悪化の分断を図る。	8.4.1 マテリアルフットプリント（MF）、一人当たりMF及びGDP当たりのMF（指標12.2.1と同一指標） 8.4.2 天然資源等消費量（DMC）、一人当たりのDMC及びGDP当たりのDMC（指標12.2.2と同一指標）
8.5 2030年までに、若者や障害者を含む全ての男性及び女性の、完全かつ生産的な雇用及び働きがいのある人間らしい仕事、並びに同一労働同一賃金を達成する。	8.5.1 女性及び男性労働者の平均時給（職業、年齢、障害者別） 8.5.2 失業率（性別、年齢、障害者別）
8.6 2020年までに、就労、就学及び職業訓練のいずれも行っていない若者の割合を大幅に減らす。	8.6.1 就労、就学及び職業訓練のいずれも行っていない15～24歳の若者の割合

8.7 強制労働を根絶し、現代の奴隷制、人身売買を終らせるための緊急かつ効果的な措置の実施、最悪な形態の児童労働の禁止及び撲滅を確保する。2025年までに児童兵士の募集と使用を含むあらゆる形態の児童労働を撲滅する。	8.7.1 児童労働者（5～17歳）の割合と数（性別、年齢別）
8.8 移住労働者、特に女性の移住労働者や不安定な雇用状態にある労働者など、全ての労働者の権利を保護し、安全・安心な労働環境を促進する。	8.8.1 致命的及び非致命的な労働災害の発生率（性別、移住状況別） 8.8.2 国際労働機関（ILO）原文ソース及び国内の法律に基づく、労働権利（結社及び団体交渉の自由）における国内コンプライアンスのレベル（性別、移住状況別）
8.9 2030年までに、雇用創出、地方の文化振興・産品販促につながる持続可能な観光業を促進するための政策を立案し実施する。	8.9.1 全GDP及びGDP成長率に占める割合としての観光業の直接GDP 8.9.2 全観光業における従業員数に占める持続可能な観光業の従業員数の割合
8.10 国内の金融機関の能力を強化し、全ての人々の銀行取引、保険及び金融サービスへのアクセスを促進・拡大する。	8.10.1 成人10万人当たりの商業銀行の支店数及びATM数 8.10.2 銀行や他の金融機関に口座を持つ、又はモバイルマネーサービスを利用する成人（15歳以上）の割合
8.a 後発開発途上国への貿易関連技術支援のための拡大統合フレームワーク（EIF）などを通じた支援を含む、開発途上国、特に後発開発途上国に対する貿易のための援助を拡大する。	8.a.1 貿易のための援助に対するコミットメントや支出
8.b 2020年までに、若年雇用のための世界的戦略及び国際労働機関（ILO）の仕事に関する世界協定の実施を展開・運用化する。	8.b.1 国家雇用戦略とは別途あるいはその一部として開発され運用されている若年雇用のための国家戦略の有無

ゴール9 災害に強いインフラを作り、持続可能な形で産業を発展させイノベーションを推進していこう

ターゲット	指　標
9.1 全ての人々に安価で公平なアクセスに重点を置いた経済発展と人間の福祉を支援するために、地域・越境インフラを含む質の高い、信頼でき、持続可能かつ強靭（レジリエント）なインフラを開発する。	9.1.1 全季節利用可能な道路の2km圏内に住んでいる地方の人口の割合 9.1.2 旅客と貨物量（交通手段別）
9.2 包摂的かつ持続可能な産業化を促進し、2030年までに各国の状況に応じて雇用及びGDPに占める産業セクターの割合を大幅に増加させる。後発開発途上国については同割合を倍増させる。	9.2.1 GDPに占める製造業付加価値の割合及び一人当たり製造業付加価値 9.2.2 全産業就業者数に占める製造業就業者数の割合

9.3 特に開発途上国における小規模の製造業その他の企業の、安価な資金貸付などの金融サービスやバリューチェーン及び市場への統合へのアクセスを拡大する。	9.3.1 産業の合計付加価値のうち小規模産業の占める割合 9.3.2 ローン又は与信枠が設定された小規模製造業の割合
9.4 2030年までに、資源利用効率の向上とクリーン技術及び環境に配慮した技術・産業プロセスの導入拡大を通じたインフラ改良や産業改善により、持続可能性を向上させる。全ての国々は各国の能力に応じた取組を行う。	9.4.1 付加価値の単位当たりのCO2排出量
9.5 2030年までにイノベーションを促進させることや100万人当たりの研究開発従事者数を大幅に増加させ、また官民研究開発の支出を拡大させるなど、開発途上国をはじめとする全ての国々の産業セクターにおける科学研究を促進し、技術能力を向上させる。	9.5.1 GDPに占める研究開発への支出 9.5.2 100万人当たりの研究者（フルタイム相当）
9.a アフリカ諸国、後発開発途上国、内陸開発途上国及び小島嶼開発途上国への金融・テクノロジー・技術の支援強化を通じて、開発途上国における持続可能かつ強靭（レジリエント）なインフラ開発を促進する。	9.a.1 インフラへの公的国際支援の総額（ODAその他公的フロー）
9.b 産業の多様化や商品への付加価値創造などに資する政策環境の確保などを通じて、開発途上国の国内における技術開発、研究及びイノベーションを支援する。	9.b.1 全付加価値における中位並びに先端テクノロジー産業の付加価値の割合
9.c 後発開発途上国において情報通信技術へのアクセスを大幅に向上させ、2020年までに普遍的かつ安価なインターネットアクセスを提供できるよう図る。	9.c.1 モバイルネットワークにアクセス可能な人口の割合（技術別）

ゴール10 国内及び国家間の不平等を見直そう

ターゲット	指　標
10.1 2030年までに、各国の所得下位40%の所得成長率について、国内平均を上回る数値を漸進的に達成し、持続させる。	10.1.1 1人当たりの家計支出又は所得の成長率（人口の下位40%のもの、総人口のもの）
10.2 2030年までに、年齢、性別、障害、人種、民族、出自、宗教、あるいは経済的地位その他の状況に関わりなく、全ての人々の能力強化及び社会的、経済的及び政治的な包含を促進する。	10.2.1 中位所得の半分未満で生活する人口の割合（年齢、性別、障害者別）
10.3 差別的な法律、政策及び慣行の撤廃、並びに適切な関連法規、政策、行動の促進などを通じて、機会均等を確保し、成果の不平等を是正する。	10.3.1 国際人権法の下で禁止されている差別の理由において、過去12か月の間に差別又は嫌がらせを個人的に感じたと報告した人口の割合
10.4 税制、賃金、社会保障政策をはじめとする政策を導入し、平等の拡大を漸進的に達成する。	10.4.1 賃金及び社会保障給付から成るGDP労働分配率
10.5 世界金融市場と金融機関に対する規制とモニタリングを改善し、こうした規制の実施を強化する。	10.5.1 金融健全性指標

10.6 地球規模の国際経済・金融制度の意思決定における開発途上国の参加や発言力を拡大させることにより、より効果的で信用力があり、説明責任のある正当な制度を実現する。	10.6.1 国際機関における開発途上国のメンバー数及び投票権の割合（指標16.8.1と同一指標）
10.7 計画に基づき良く管理された移民政策の実施などを通じて、秩序のとれた、安全で規則的かつ責任ある移住や流動性を促進する。	10.7.1 従業者が移住先の国で稼いだ月収に占める、その従業者が移住先の国で仕事を探すに当たって（自ら）負担した費用の割合 10.7.2 秩序のとれた、安全で規則的かつ責任ある移住や流動性を促進する移住政策を持つ国の数
10.a 世界貿易機関（WTO）協定に従い、開発途上国、特に後発開発途上国に対する特別かつ異なる待遇の原則を実施する。	10.a.1 後発開発途上国や開発途上国からの輸入品に適用されるゼロ関税の関税分類品目（タリフライン）の割合
10.b 各国の国家計画やプログラムに従って、後発開発途上国、アフリカ諸国、小島嶼開発途上国及び内陸開発途上国を始めとする、ニーズが最も大きい国々への、政府開発援助（ODA）及び海外直接投資を含む資金の流入を促進する。	10.b.1 開発のためのリソースフローの総額（受援国及び援助国、フローの流れ（例：ODA、外国直接投資、その他）別）
10.c 2030年までに、移住労働者による送金コストを３%未満に引き下げ、コストが5%を越える送金経路を撤廃する。	10.c.1 総送金額の割合に占める送金コスト

ゴール11 安全で災害に強く、持続可能な都市及び居住環境を実現しよう

ターゲット	指　標
11.1 2030年までに、全ての人々の、適切、安全かつ安価な住宅及び基本的サービスへのアクセスを確保し、スラムを改善する。	11.1.1 スラム、インフォーマルな居住地及び不適切な住宅に居住する都市人口の割合
11.2 2030年までに、脆弱な立場にある人々、女性、子供、障害者及び高齢者のニーズに特に配慮し、公共交通機関の拡大などを通じた交通の安全性改善により、全ての人々に、安全かつ安価で容易に利用できる、持続可能な輸送システムへのアクセスを提供する。	11.2.1 公共交通機関へ容易にアクセスできる人口の割合（性別、年齢、障害者別）
11.3 2030年までに、包摂的かつ持続可能な都市化を促進し、全ての国々の参加型、包摂的かつ持続可能な人間居住計画・管理の能力を強化する。	11.3.1 人口増加率と土地利用率の比率 11.3.2 定期的かつ民主的に運営されている都市計画及び管理に、市民社会が直接参加する仕組みがある都市の割合
11.4 世界の文化遺産及び自然遺産の保護・保全の努力を強化する。	11.4.1 全ての文化及び自然遺産の保全、保護及び保存における総支出額（公的部門、民間部門）（遺産のタイプ別（文化、自然、混合、世界遺産に登録されているもの）、政府レベル別（国、地域、地方、市）、支出タイプ別（営業費、投資）、民間資金のタイプ別（寄付、非営利部門、後援））

11.5 2030年までに、貧困層及び脆弱な立場にある人々の保護に焦点をあてながら、水関連災害などの災害による死者や被災者数を大幅に削減し、世界の国内総生産比で直接的経済損失を大幅に減らす。	11.5.1 10万人当たりの災害による死者数、行方不明者数、直接的負傷者数（指標1.5.1及び13.1.1と同一指標） 11.5.2 災害によって起こった、グローバルなGDPに関連した直接経済損失、重要インフラへの被害及び基本サービスの途絶件数
11.6 2030年までに、大気の質及び一般並びにその他の廃棄物の管理に特別な注意を払うことによるものを含め、都市の一人当たりの環境上の悪影響を軽減する。	11.6.1 都市で生み出された固形廃棄物の総量のうち、定期的に収集され適切に最終処理されたものの割合（都市別） 11.6.2 都市部における微粒子物質（例：PM2.5やPM10）の年平均レベル（人口で加重平均したもの）
11.7 2030年までに、女性、子供、高齢者及び障害者を含め、人々に安全で包摂的かつ利用が容易な緑地や公共スペースへの普遍的アクセスを提供する。	11.7.1 各都市部の建物密集区域における公共スペースの割合の平均（性別、年齢、障害者別） 11.7.2 過去12か月における身体的又は性的ハラスメントの犠牲者の割合（性別、年齢、障害状況、発生場所別）
11.a 各国・地域規模の開発計画の強化を通じて、経済、社会、環境面における都市部、都市周辺部及び農村部間の良好なつながりを支援する。	11.a.1 人口予測とリソース需要について取りまとめながら都市及び地域開発計画を実行している都市に住んでいる人口の割合（都市の規模別）
11.b 2020年までに、包含、資源効率、気候変動の緩和と適応、災害に対する強靱さ（レジリエンス）を目指す総合的政策及び計画を導入・実施した都市及び人間居住地の件数を大幅に増加させ、仙台防災枠組2015-2030に沿って、あらゆるレベルでの総合的な災害リスク管理の策定と実施を行う。	11.b.1 仙台防災枠組み2015-2030に沿った国家レベルの防災戦略を採択し実行している国の数（指標1.5.3及び13.1.2と同一指標） 11.b.2 国家防災戦略に沿った地方レベルの防災戦略を採択し実行している地方政府の割合（指標1.5.4及び13.1.3と同一指標）
11.c 財政的及び技術的な支援などを通じて、後発開発途上国における現地の資材を用いた、持続可能かつ強靱（レジリエント）な建造物の整備を支援する。	11.c.1 現地の資材を用いた、持続可能で強靱（レジリエント）で資源効率的である建造物の建設及び改築に割り当てられた後発開発途上国への財政援助の割合

ゴール12 持続可能な方法で生産し、消費する取り組みを進めていこう

ターゲット	指　標
12.1 開発途上国の開発状況や能力を勘案しつつ、持続可能な消費と生産に関する10年計画枠組み（10YFP）を実施し、先進国主導の下、全ての国々が対策を講じる。	12.1.1 持続可能な消費と生産（SCP）に関する国家行動計画を持っている、又は国家政策に優先事項もしくはターゲットとしてSCPが組み込まれている国の数
12.2 2030年までに天然資源の持続可能な管理及び効率的な利用を達成する。	12.2.1 マテリアルフットプリント（MF）、一人当たりMF及びGDP当たりのMF（指標8.4.1と同一指標）

	12.2.2 天然資源等消費量（DMC）、一人当たりのDMC及びGDP当たりのDMC（指標8.4.2と同一指標）
12.3 2030年までに小売・消費レベルにおける世界全体の一人当たりの食料の廃棄を半減させ、収穫後損失などの生産・サプライチェーンにおける食料の損失を減少させる。	12.3.1 a）食料損耗指数、及び b）食料廃棄指数
12.4 2020年までに、合意された国際的な枠組みに従い、製品ライフサイクルを通じ、環境上適正な化学物資質や全ての廃棄物の管理を実現し、人の健康や環境への悪影響を最小化するため、化学物質や廃棄物の大気、水、土壌への放出を大幅に削減する。	12.4.1 有害廃棄物や他の化学物質に関する国際多国間環境協定で求められる情報の提供（報告）の義務を果たしている締約国の数
	12.4.2 有害廃棄物の１人当たり発生量、処理された有害廃棄物の割合（処理手法ごと）
12.5 2030年までに、廃棄物の発生防止、削減、再生利用及び再利用により、廃棄物の発生を大幅に削減する。	12.5.1 各国の再生利用率、リサイクルされた物質のトン数
12.6 特に大企業や多国籍企業などの企業に対し、持続可能な取り組みを導入し、持続可能性に関する情報を定期報告に盛り込むよう奨励する。	12.6.1 持続可能性に関する報告書を発行する企業の数
12.7 国内の政策や優先事項に従って持続可能な公共調達の慣行を促進する。	12.7.1 持続可能な公的調達政策及び行動計画を実施している国の数
12.8 2030年までに、人々があらゆる場所において、持続可能な開発及び自然と調和したライフスタイルに関する情報と意識を持つようにする。	12.8.1 気候変動教育を含む、(i) 地球市民教育、及び (ii) 持続可能な開発のための教育が、(a)各国の教育政策、(b) カリキュラム、(c) 教師の教育、及び (d)児童・生徒・学生の達成度評価に関して、全ての教育段階において主流化されているレベル
12.a 開発途上国に対し、より持続可能な消費・生産形態の促進のための科学的・技術的能力の強化を支援する。	12.a.1 持続可能な消費、生産形態及び環境に配慮した技術のための研究開発に係る開発途上国への支援総計
12.b 雇用創出、地方の文化振興・産品販促につながる持続可能な観光業に対して持続可能な開発がもたらす影響を測定する手法を開発・導入する。	12.b.1 承認された評価監視ツールのある持続可能な観光戦略や政策、実施された行動計画の数
12.c 開発途上国の特別なニーズや状況を十分考慮し、貧困層やコミュニティを保護する形で開発に関する悪影響を最小限に留めつつ、税制改正や、有害な補助金が存在する場合はその環境への影響を考慮してその段階的廃止などを通じ、各国の状況に応じて、市場のひずみを除去することで、浪費的な消費を奨励する、化石燃料に対する非効率な補助金を合理化する。	12.c.1 GDP（生産及び消費）の単位当たり及び化石燃料の国家支出総額に占める化石燃料補助金

ゴール13 気候変動及びその影響を軽減するための緊急対策を講じよう

ターゲット	指　標
13.1 全ての国々において、気候関連災害や自然災害に対する強靱性（レジリエンス）及び適応の能力を強化する。	13.1.1 10万人当たりの災害による死者数、行方不明者数、直接的負傷者数（指標1.5.1及び11.5.1と同一指標）
	13.1.2 仙台防災枠組み2015-2030に沿った国家レベルの防災戦略を採択し実行している国の数（指標1.5.3及び11.b.1と同一指標）
	13.1.3 国家防災戦略に沿った地方レベルの防災戦略を採択し実行している地方政府の割合（指標1.5.4及び11.b.2と同一指標）
13.2 気候変動対策を国別の政策、戦略及び計画に盛り込む。	13.2.1 気候変動の悪影響に適応し、食料生産を脅かさない方法で、気候強靱性や温室効果ガスの低排出型の発展を促進するための能力を増加させる統合的な政策/戦略/計画（国の適応計画、国が決定する貢献、国別報告書、隔年更新報告書その他を含む）の確立又は運用を報告している国の数
13.3 気候変動の緩和、適応、影響軽減及び早期警戒に関する教育、啓発、人的能力及び制度機能を改善する。	13.3.1 緩和、適応、影響軽減及び早期警戒を、初等、中等及び高等教育のカリキュラムに組み込んでいる国の数
	13.3.2 適応、緩和及び技術移転を実施するための制度上、システム上、及び個々人における能力構築の強化や開発行動を報告している国の数
13.a 重要な緩和行動の実施とその実施における透明性確保に関する開発途上国のニーズに対応するため、2020年までにあらゆる供給源から年間1,000億ドルを共同で動員するという、UNFCCCの先進締約国によるコミットメントを実施するとともに、可能な限り速やかに資本を投入して緑の気候基金を本格始動させる。	13.a.1 2020-2025年の間に1000億USドルコミットメントを実現するために必要となる1年当たりに投資される総USドル
13.b 後発開発途上国及び小島嶼開発途上国において、女性や青年、地方及び社会的に疎外されたコミュニティに焦点を当てることを含め、気候変動関連の効果的な計画策定と管理のための能力を向上するメカニズムを推進する。	13.b.1 女性や青年、地方及び社会的に疎外されたコミュニティに焦点を当てることを含め、気候変動関連の効果的な計画策定と管理のための能力を向上させるメカニズムのために、専門的なサポートを受けている後発開発途上国や小島嶼開発途上国の数及び財政、技術、能力構築を含む支援総額

ゴール14 持続可能な開発のために海洋資源を保全し、持続可能な形で利用しよう

ターゲット	指　標
14.1 2025年までに、海洋ごみや富栄養化を含む、特に陸上活動による汚染など、あらゆる種類の海洋汚染を防止し、大幅に削減する。	14.1.1 沿岸富栄養化指数（ICEP）及び浮遊プラスチックごみの密度
14.2 2020年までに、海洋及び沿岸の生態系に関する重大な悪影響を回避するため、強靱性（レジリエンス）の強化などによる持続的な管理と保護を行い、健全で生産的な海洋を実現するため、海洋及び沿岸の生態系の回復のための取組を行う。	14.2.1 生態系を基盤として活用するアプローチにより管理された各国の排他的経済水域の割合
14.3 あらゆるレベルでの科学的協力の促進などを通じて、海洋酸性化の影響を最小限化し、対処する。	14.3.1 承認された代表標本抽出地点で測定された海洋酸性度（pH）の平均値
14.4 水産資源を、実現可能な最短期間で少なくとも各資源の生物学的特性によって定められる最大持続生産量のレベルまで回復させるため、2020年までに、漁獲を効果的に規制し、過剰漁業や違法・無報告・無規制（IUU）漁業及び破壊的な漁業慣行を終了し、科学的な管理計画を実施する。	14.4.1 生物学的に持続可能なレベルの水産資源の割合
14.5 2020年までに、国内法及び国際法に則り、最大限入手可能な科学情報に基づいて、少なくとも沿岸域及び海域の10パーセントを保全する。	14.5.1 海域に関する保護領域の範囲
14.6 開発途上国及び後発開発途上国に対する適切かつ効果的な、特別かつ異なる待遇が、世界貿易機関（WTO）漁業補助金交渉の不可分の要素であるべきことを認識した上で、2020年までに、過剰漁獲能力や過剰漁獲につながる漁業補助金を禁止し、違法・無報告・無規制（IUU）漁業につながる補助金を撤廃し、同様の新たな補助金の導入を抑制する。	14.6.1 IUU漁業（Illegal（違法）・Unreported（無報告）・Unregulated（無規制））と対峙することを目的としている国際的な手段の実施状況
14.7 2030年までに、漁業、水産養殖及び観光の持続可能な管理などを通じ、小島嶼開発途上国及び後発開発途上国の海洋資源の持続的な利用による経済的便益を増大させる。	14.7.1 小島嶼開発途上国、後発開発途上国及び全ての国々のGDPに占める持続可能な漁業の割合
14.a 海洋の健全性の改善と、開発途上国、特に小島嶼開発途上国および後発開発途上国の開発における海洋生物多様性の寄与向上のために、海洋技術の移転に関するユネスコ政府間海洋学委員会の基準・ガイドラインを勘案しつつ、科学的知識の増進、研究能力の向上、及び海洋技術の移転を行う。	14.a.1 総研究予算額に占める、海洋技術分野に割り当てられた研究予算の割合
14.b 小規模・沿岸零細漁業者に対し、海洋資源及び市場へのアクセスを提供する。	14.b.1 小規模・零細漁業のためのアクセス権を認識し保護する法令/規制/政策/制度枠組みの導入状況

14.c 「我々の求める未来」のパラ158において想起されるとおり、海洋及び海洋資源の保全及び持続可能な利用のための法的枠組みを規定する海洋法に関する国際連合条約（UNCLOS）に反映されている国際法を実施することにより、海洋及び海洋資源の保全及び持続可能な利用を強化する。	14.c.1 海洋及び海洋資源の保全と持続可能な利用のために「海洋法に関する国際連合条約（UNCLOS）」に反映されているとおり、国際法を実施する海洋関係の手段を、法、政策、機関的枠組みを通して、批准、導入、実施を推進している国の数

ゴール15 陸上の生態系や森林の保護・回復と持続可能な利用を推進し、砂漠化と土地の劣化に対処し、生物多様性の損失を阻止しよう

ターゲット	指　標
15.1 2020年までに、国際協定の下での義務に則って、森林、湿地、山地及び乾燥地をはじめとする陸域生態系と内陸淡水生態系及びそれらのサービスの保全、回復及び持続可能な利用を確保する。	15.1.1 土地全体に対する森林の割合 15.1.2 陸生及び淡水性の生物多様性に重要な場所のうち保護区で網羅されている割合（保護地域、生態系のタイプ別）
15.2 2020年までに、あらゆる種類の森林の持続可能な経営の実施を促進し、森林減少を阻止し、劣化した森林を回復し、世界全体で新規植林及び再植林を大幅に増加させる。	15.2.1 持続可能な森林経営における進捗
15.3 2030年までに、砂漠化に対処し、砂漠化、干ばつ及び洪水の影響を受けた土地などの劣化した土地と土壌を回復し、土地劣化に荷担しない世界の達成に尽力する。	15.3.1 土地全体のうち劣化した土地の割合
15.4 2030年までに持続可能な開発に不可欠な便益をもたらす山地生態系の能力を強化するため、生物多様性を含む山地生態系の保全を確実に行う。	15.4.1 山地生物多様性のための重要な場所に占める保全された地域の範囲 15.4.2 山地グリーンカバー指数
15.5 自然生息地の劣化を抑制し、生物多様性の損失を阻止し、2020年までに絶滅危惧種を保護し、また絶滅防止するための緊急かつ意味のある対策を講じる。	15.5.1 レッドリスト指数
15.6 国際合意に基づき、遺伝資源の利用から生ずる利益の公正かつ衡平な配分を推進するとともに、遺伝資源への適切なアクセスを推進する。	15.6.1 利益の公正かつ衡平な配分を確保するための立法上、行政上及び政策上の枠組みを持つ国の数
15.7 保護の対象となっている動植物種の密猟及び違法取引を撲滅するための緊急対策を講じるとともに、違法な野生生物製品の需要と供給の両面に対処する。	15.7.1 密猟された野生生物又は違法に取引された野生生物の取引の割合（指標15.c.1と同一指標）
15.8 2020年までに、外来種の侵入を防止するとともに、これらの種による陸域・海洋生態系への影響を大幅に減少させるための対策を導入し、さらに優先種の駆除または根絶を行う。	15.8.1 外来種に関する国内法を採択しており、侵略的外来種の防除や制御に必要な資金等を確保している国の割合

15.9 2020年までに、生態系と生物多様性の価値を、国や地方の計画策定、開発プロセス及び貧困削減のための戦略及び会計に組み込む。	15.9.1 生物多様性戦略計画2011-2020の愛知目標の目標2に従って設定された国内目標に対する進捗
15.a 生物多様性と生態系の保全と持続的な利用のために、あらゆる資金源からの資金の動員及び大幅な増額を行う。	15.a.1 生物多様性及び生態系の保全と持続的な利用に係るODA並びに公的支出(指標15.b.1と同一指標)
15.b 保全や再植林を含む持続可能な森林経営を推進するため、あらゆるレベルのあらゆる供給源から、持続可能な森林経営のための資金の調達と開発途上国への十分なインセンティブ付与のための相当量の資源を動員する。	15.b.1 生物多様性及び生態系の保全と持続的な利用に係るODA並びに公的支出(指標15.a.1と同一指標)
15.c 持続的な生計機会を追求するために地域コミュニティの能力向上を図る等、保護種の密猟及び違法な取引に対処するための努力に対する世界的な支援を強化する。	15.c.1 密猟された野生生物又は違法に取引された野生生物の取引の割合(指標15.7.1と同一指標)

ゴール16 持続可能な開発のための平和的で誰も置き去りにしない社会を促進し、全ての人が法や制度で守られる社会を構築しよう

ターゲット	指　標
16.1 あらゆる場所において、全ての形態の暴力及び暴力に関連する死亡率を大幅に減少させる。	16.1.1 10万人当たりの意図的な殺人行為による犠牲者の数(性別、年齢別)
	16.1.2 10万人当たりの紛争関連の死者の数(性別、年齢、原因別)
	16.1.3 過去12か月において (a) 身体的暴力、(b) 精神的暴力、(c)性的暴力を受けた人口の割合
	16.1.4 自身の居住区地域を一人で歩いても安全と感じる人口の割合
16.2 子供に対する虐待、搾取、取引及びあらゆる形態の暴力及び拷問を撲滅する。	16.2.1 過去1か月における保護者等からの身体的な暴力及び/又は心理的な攻撃を受けた1歳～17歳の子供の割合
	16.2.2 10万人当たりの人身取引の犠牲者の数(性別、年齢、搾取形態別)
	16.2.3 18歳までに性的暴力を受けた18歳～29歳の若年女性及び男性の割合
16.3 国家及び国際的なレベルでの法の支配を促進し、全ての人々に司法への平等なアクセスを提供する。	16.3.1 過去12か月間に暴力を受け、所管官庁又はその他の公的に承認された紛争解決機構に対して、被害を届け出た者の割合
	16.3.2 刑務所の総収容者数に占める判決を受けていない勾留者の割合

16.4 2030年までに、違法な資金及び武器の取引を大幅に減少させ、奪われた財産の回復及び返還を強化し、あらゆる形態の組織犯罪を根絶する。	16.4.1 内外の違法な資金フローの合計額（USドル）
	16.4.2 国際的な要件に従い、所管当局によって、発見/押収された武器で、その違法な起源又は流れが追跡/立証されているものの割合
16.5 あらゆる形態の汚職や贈賄を大幅に減少させる。	16.5.1 過去12か月間に公務員に賄賂を支払った又は公務員より賄賂を要求されたことが少なくとも１回はあった人の割合
	16.5.2 過去12か月間に公務員に賄賂を支払った又は公務員より賄賂を要求されたことが少なくとも１回はあった企業の割合
16.6 あらゆるレベルにおいて、有効で説明責任のある透明性の高い公共機関を発展させる。	16.6.1 当初承認された予算に占める第一次政府支出（部門別、（予算別又は類似の分類別））
	16.6.2 最後に利用した公共サービスに満足した人の割合
16.7 あらゆるレベルにおいて、対応的、包摂的、参加型及び代表的な意思決定を確保する。	16.7.1 国全体における分布と比較した、国・地方の公的機関（(a) 議会、(b) 公共サービス及び (c)司法を含む。）における性別、年齢別、障害者別、人口グループ別の役職の割合
	16.7.2 国の政策決定過程が包摂的であり、かつ応答性を持つと考える人の割合（性別、年齢別、障害者及び人口グループ別）
16.8 グローバル・ガバナンス機関への開発途上国の参加を拡大・強化する。	16.8.1 国際機関における開発途上国のメンバー数及び投票権の割合（指標10.6.1と同一指標）
16.9 2030年までに、全ての人々に出生登録を含む法的な身分証明を提供する。	16.9.1 ５歳以下の子供で、行政機関に出生登録されたものの割合（年齢別）
16.10 国内法規及び国際協定に従い、情報への公共アクセスを確保し、基本的自由を保障する。	16.10.1 過去12か月間にジャーナリスト、メディア関係者、労働組合員及び人権活動家の殺害、誘拐、強制失踪、恣意的拘留及び拷問について立証された事例の数
	16.10.2 情報へのパブリックアクセスを保障した憲法、法令、政策の実施を採択している国の数
16.a 特に開発途上国において、暴力の防止とテロリズム・犯罪の撲滅に関するあらゆるレベルでの能力構築のため、国際協力などを通じて関連国家機関を強化する。	16.a.1 パリ原則に準拠した独立した国内人権機関の存在の有無
16.b 持続可能な開発のための非差別的な法規及び政策を推進し、実施する。	16.b.1 国際人権法の下で禁止されている差別の理由において、過去12か月の間に差別又は嫌がらせを個人的に感じたと報告した人口の割合

ゴール17 目標の達成のために必要な手段を強化し、持続可能な開発にむけて世界のみんなで協力しよう

ターゲット	指　標
17.1 課税及び徴税能力の向上のため、開発途上国への国際的な支援なども通じて、国内資源の動員を強化する。	17.1.1 GDPに占める政府収入合計の割合（収入源別） 17.1.2 国内予算における、自国内の税収が資金源となっている割合
17.2 先進国は、開発途上国に対するODAをGNI比0.7%に、後発開発途上国に対するODAをGNI比0.15～0.20%にするという目標を達成するとの多くの国によるコミットメントを含むODAに係るコミットメントを完全に実施する。ODA供与国が、少なくともGNI比0.20%のODAを後発開発途上国に供与するという目標の設定を検討することを奨励する。	17.2.1 OECD/DACによる寄与のGNIに占める純ODA総額及び後発開発途上国を対象にした額
17.3 複数の財源から、開発途上国のための追加的資金源を動員する。	17.3.1 海外直接投資（FDI）、ODA及び南南協力の国内総予算に占める割合 17.3.2 GDP総額に占める送金額（USドル）
17.4 必要に応じた負債による資金調達、債務救済及び債務再編の促進を目的とした協調的な政策により、開発途上国の長期的な債務の持続可能性の実現を支援し、重債務貧困国（HIPC）の対外債務への対応により債務リスクを軽減する。	17.4.1 財及びサービスの輸出額に対する債務の割合
17.5 後発開発途上国のための投資促進枠組みを導入及び実施する。	17.5.1 後発開発途上国のための投資促進枠組みを導入及び実施している国の数
17.6 科学技術イノベーション（STI）及びこれらへのアクセスに関する南北協力、南南協力及び地域的・国際的な三角協力を向上させる。また、国連レベルをはじめとする既存のメカニズム間の調整改善や、全世界的な技術促進メカニズムなどを通じて、相互に合意した条件において知識共有を進める。	17.6.1 各国間における科学技術協力協定及び計画の数（協力形態別） 17.6.2 100人当たりの固定インターネットブロードバンド契約数（回線速度別）
17.7 開発途上国に対し、譲許的・特恵的条件などの相互に合意した有利な条件の下で、環境に配慮した技術の開発、移転、普及及び拡散を促進する。	17.7.1 環境に配慮した技術の開発、移転、普及及び拡散の促進を目的とした開発途上国のための承認された基金の総額
17.8 2017年までに、後発開発途上国のための技術バンク及び科学技術イノベーション能力構築メカニズムを完全運用させ、情報通信技術（ICT）をはじめとする実現技術の利用を強化する。	17.8.1 インターネットを使用している個人の割合
17.9 全ての持続可能な開発目標を実施するための国家計画を支援するべく、南北協力、南南協力及び三角協力などを通じて、開発途上国における効果的かつ的をしぼった能力構築の実施に対する国際的な支援を強化する。	17.9.1 開発途上国にコミットした財政支援額及び技術支援額（南北、南南及び三角協力を含む）（ドル）

ターゲット	指標
17.10 ドーハ・ラウンド(DDA)交渉の結果を含めたWTOの下での普遍的でルールに基づいた、差別的でない、公平な多角的貿易体制を促進する。	17.10.1 世界中で加重された関税額の平均
17.11 開発途上国による輸出を大幅に増加させ、特に2020年までに世界の輸出に占める後発開発途上国のシェアを倍増させる。	17.11.1 世界の輸出額シェアに占める開発途上国と後発開発途上国の割合
17.12 後発開発途上国からの輸入に対する特恵的な原産地規則が透明で簡略的かつ市場アクセスの円滑化に寄与するものとなるようにすることを含む世界貿易機関(WTO)の決定に矛盾しない形で、全ての後発開発途上国に対し、永続的な無税・無枠の市場アクセスを適時実施する。	17.12.1 開発途上国、後発開発途上国及び小島嶼開発途上国が直面している関税の平均
17.13 政策協調や政策の首尾一貫性などを通じて、世界的なマクロ経済の安定を促進する。	17.13.1 マクロ経済ダッシュボード
17.14 持続可能な開発のための政策の一貫性を強化する。	17.14.1 持続可能な開発の政策の一貫性を強化するためのメカニズムがある国の数
17.15 貧困撲滅と持続可能な開発のための政策の確立・実施にあたっては、各国の政策空間及びリーダーシップを尊重する。	17.15.1 開発協力提供者ごとの、その国の持つ結果枠組み及び計画ツールの利用範囲
17.16 全ての国々、特に開発途上国での持続可能な開発目標の達成を支援すべく、知識、専門的知見、技術及び資金源を動員、共有するマルチステークホルダー・パートナーシップによって補完しつつ、持続可能な開発のためのグローバル・パートナーシップを強化する。	17.16.1 持続可能な開発目標の達成を支援するマルチステークホルダー開発有効性モニタリング枠組みにおいて進捗を報告する国の数
17.17 さまざまなパートナーシップの経験や資源戦略を基にした、効果的な公的、官民、市民社会のパートナーシップを奨励・推進する。	17.17.1 (a)官民パートナーシップにコミットしたUSドルの総額 (b)市民社会パートナーシップにコミットしたUSドルの総額
17.18 2020年までに、後発開発途上国及び小島嶼開発途上国を含む開発途上国に対する能力構築支援を強化し、所得、性別、年齢、人種、民族、居住資格、障害、地理的位置及びその他各国事情に関連する特性別の質が高く、タイムリーかつ信頼性のある非集計型データの入手可能性を向上させる。	17.18.1 公的統計の基本原則に従い、ターゲットに関する場合に、各国レベルで完全に詳細集計されて作成されたSDG指標の割合
	17.18.2 公的統計の基本原則に準じた国家統計法のある国の数
	17.18.3 十分な資金提供とともに実施されている国家統計計画を持つ国の数(資金源別)
17.19 2030年までに、持続可能な開発の進捗状況を測るGDP以外の尺度を開発する既存の取組を更に前進させ、開発途上国における統計に関する能力構築を支援する。	17.19.1 開発途上国における統計能力の強化のために利用可能となった資源のドル額
	17.19.2 a)少なくとも過去10年に人口・住宅センサスを実施した国の割合 b)出生届が100%登録され、死亡届が80%登録された国の割合

主な参考文献

・BBC「Jose Mujica: The world's 'poorest' president」2012年11月15日 https://www.bbc.com/news/magazine-20243493
・Bertelsmann Stiftung and Sustainable Development Solutions Network「Sustainable Development Report 2020」https://s3.amazonaws.com/sustainabledevelopment.report/2020/2020_sustainable_development_report.pdf
・Bloomberg「A Water Crisis Is Brewing Between South Asia's Arch-Rivals」2019年1月26日 https://www.bloomberg.com/news/features/2019-01-25/a-water-crisis-is-brewing-between-south-asia-s-arch-rivals
・Carl Benedikt Frey and Michael A. Osborne (2013), "The Future of Employment", Technological Forecasting and Social Change Volume 114, January 2017, https://www.oxfordmartin.ox.ac.uk/downloads/academic/The_Future_of_Employment.pdf
・e-Gov「労働基準法」https://elaws.e-gov.go.jp/search/elawsSearch/elaws_search/lsg0500/detail?lawId=322AC0000000049#D
・e-Stat「人口動態調査　死亡数，死因（死因基本分類）・性別　(2) ICD-10コード　V～Y、U」https://www.e-stat.go.jp/stat-search/file-download?statInfId=000031883974&fileKind=1
・FAO、IFAD、UNICEF、WFP、WHO「The State of Food Security and Nutrition in the World 2018」http://www.fao.org/3/I9553EN/i9553en.pdf?q31cha8921=bp2hnmhtrjdbqgu613jg
・GREEN PEACE「太平洋クロマグロ、世界で獲られる80％を漁獲・消費する国は？」https://www.greenpeace.org/japan/nature/story/2013/09/04/4287/
・HUFFPOST「グレタ・トゥーンベリさん、国連で怒りのスピーチ」2019年9月24日 https://www.huffingtonpost.jp/entry/greta-thunberg-un-speech_jp_5d8959e6e4b0938b5932fcb6
・HUFFPOST「肉を食べることは環境に悪影響?　デンマーク、スウェーデン、ドイツが食肉税を検討するワケ」2019年9月26日 https://www.huffingtonpost.jp/entry/story_jp_5d8c257ee4b0019647a2e94a
・IEA「Global CO2 emissions in 2019」https://www.iea.org/articles/global-co2-emissions-in-2019
・IPCC 第5次評価報告書 第13章 概要 https://www.data.jma.go.jp/cpdinfo/ipcc/ar5/ipcc_ar5_wg1_es_chap13_jpn.pdf
・IPU Parline「Percentage of women in national parliaments」https://data.ipu.org/women-ranking?month=3&year=2020
・JETRO「米国　税制」https://www.jetro.go.jp/world/n_america/us/invest_04.html
・JICA「JICAの事業紹介　母子手帳」https://www.jica.go.jp/activities/issues/health/mch_handbook/index.html
・JICA「ミレニアム開発目標（MDGs）の達成状況」https://www.jica.go.jp/aboutoda/sdgs/achievement_MDGs.html
・NHK「四大公害病」https://www2.nhk.or.jp/school/movie/clip.cgi?das_id=D0005311062_00000&p=box
・NTT東日本「災害用伝言ダイヤル（171）」https://www.ntt-east.co.jp/saigai/voice171/
・OzHarvest https://www.ozharvest.org/
・statista「Höhe der Kosten des Bundes in Deutschland für Flüchtlinge und Asyl von 2018 bis 2023」https://de.statista.com/statistik/daten/studie/665598/umfrage/kosten-des-bundes-in-deutschland-durch-die-fluechtlingskrise/
・Sustainable Japan「ナスダック・サステナビリティ・インデックスが更新。アドビ、テスラらが新たに選出」2015年6月13日 https://sustainablejapan.jp/2015/06/13/nasdaq-sustainability-index/16279
・Think the Earth『未来を変える目標 SDGsアイデアブック』（紀伊國屋書店）2018年
・T-SITE「Tポイント募金ガイド」https://tsite.jp/pc/r/donation/guide.pl
・UNHCR「数字で見る難民情勢（2019年）」https://www.unhcr.org/jp/global_trends_2019
・UNICEF「A Future Stolen: Young and out of school」https://data.unicef.org/wp-content/uploads/2018/09/Out-of-school-children-Fact-Sheet-individual-pages.pdf?q31cha8921=bp2hnmhtrjdbqgu613jg
・UNICEF「ユニセフの主な活動 児童労働」https://www.unicef.or.jp/about_unicef/about_act04_02.html
・United Nations「Goal 11: Make cities inclusive, safe, resilient and sustainable」https://www.un.org/sustainabledevelopment/cities/
・United Nations「Goal 3: Ensure healthy lives and promote well-being for all at all ages」https://www.un.org/sustainabledevelopment/health/
・United Nations Human Rights Council「Combating Discrimination against Migrants」https://www.ohchr.org/EN/AboutUs/Pages/DiscriminationAgainstMigrants.aspx
・United Nations Treaty Collection「International Convention on the Protection of the Rights of All Migrant Workers and Members of their Families」https://treaties.un.org/pages/ViewDetails.aspx?src=TREATY&mtdsg_no=IV-13&chapter=4
・United Nations「The Sustainable Development Agenda」https://www.un.org/sustainabledevelopment/development-agenda/
・United Nations「World Ocean Assessment I Chapter 25. Marine Debris」https://www.un.org/depts/los/global_reporting/WOA_RPROC/Chapter_25.pdf
・WHO「9 out of 10 people worldwide breathe polluted air」http://www.emro.who.int/media/news/9-out-of-10-people-worldwide-breathe-polluted-air.html
・WHO「Tracking Universal Health Coverage:2017 Global Monitoring Report」http://documents.worldbank.org/curated/

en/640121513095868125/pdf/122029-WP-REVISED-PUBLIC.pdf
・WHO「Drinking-water」14 June 2019 https://www.who.int/news-room/fact-sheets/detail/drinking-water
・World Bank「Ending Violence Against Women and Girls: Global and Regional Trends in Women's Legal Protection Against Domestic Violence and Sexual Harassment」http://pubdocs.worldbank.org/en/679221517425064052/EndingViolenceAgainstWomenandGirls-GBVLaws-Feb2018.pdf
・World Bank「More People Have Access to Electricity Than Ever Before, but World Is Falling Short of Sustainable Energy Goals」https://www.worldbank.org/en/news/press-release/2019/05/22/tracking-sdg7-the-energy-progress-report-2019#
・World Bank「Transport」https://www.worldbank.org/en/topic/transport/overview
・World Bank「世界の貧困に関するデータ」https://www.worldbank.org/ja/news/feature/2014/01/08/open-data-poverty
・World Happiness Report 2020 https://worldhappiness.report/ed/2020/social-environments-for-world-happiness/
・WWFジャパン HP「マグロをめぐる問題」https://www.wwf.or.jp/activities/basicinfo/129.html
・朝日新聞「「最強」襲来、日本もバハマも　異常気象に「何か変だ」」2020年1月6日 https://digital.asahi.com/articles/ASMDR431XMDRULBJ008.html?iref=pc_ss_date
・朝日新聞「産業革命前と比べ気温4度上昇→日本は3400万人影響」2015年11月10日 https://digital.asahi.com/articles/ASHC90GMBHC8ULBJ001.html
・朝日新聞「世界初「すべて無料」のスーパー　値札なし、レジもなし」2017年7月8日 https://digital.asahi.com/articles/ASK775T1GK77UHBI037.html
・安部川元伸「国際テロリストのリクルート活動と過激化に関する一考察」https://www.nihon-u.ac.jp/risk_management/pdf/laboratory/201803_abekawamotonobu.pdf
・打ち水大作戦2020「打ち水問答」http://uchimizu.jp/faq/
・エーザイ「医薬品アクセスとは」https://atm.eisai.co.jp/atm/
・太田幸夫（監修）『まるわかり記号の大事典』（くもん出版）2018年
・開発教育協会（編集協力）『基本解説 そうだったのか。SDGs』（一般社団法人SDGs市民社会ネットワーク）2017年
・外務省「JAPAN SDGs Action Platform グローバル指標（SDG indicators）」https://www.mofa.go.jp/mofaj/gaiko/oda/sdgs/statistics/index.html
・外務省「グローバル指標(Sustainable Development Goal indicators) 3: すべての人に健康と福祉を」https://www.mofa.go.jp/mofaj/gaiko/oda/sdgs/statistics/goal3.html
・外務省「一般会計ODA当初予算の推移（政府全体）」https://www.mofa.go.jp/mofaj/gaiko/oda/shiryo/yosan.html
・外務省「第2回ジャパンSDGsアワード　SDGsパートナーシップ賞（特別賞）山陽女子中学校・高等学校地歴部」https://www.mofa.go.jp/mofaj/gaiko/oda/sdgs/pdf/award2_12_sanyoujoshi.pdf
・環境省「アカミミガメを知ろう！ワークブック」https://www.env.go.jp/nature/intro/4document/files/akamimigame06.pdf
・環境省「環境省レッドリスト2019の公表について」http://www.env.go.jp/press/106383.html
・環境省「気候変動の国際交渉　関連資料」http://www.env.go.jp/earth/ondanka/cop/shiryo.html
・環境省「国際的な森林保全対策 世界の森林を守るために 世界の森林の現状」https://www.env.go.jp/nature/shinrin/index_1_1.html
・きょうされん「障害のある人の地域生活実態調査の結果報告」https://www.kyosaren.or.jp/wp-content/themes/kyosaren/img/page/activity/x/x_1.pdf
・国谷裕子（監修）『国谷裕子とチャレンジ！ 未来のためのSDGs 1「人間」に関するゴール』（文溪堂）2019年
・国谷裕子（監修）『国谷裕子とチャレンジ！ 未来のためのSDGs 2「豊かさ」に関するゴール』（文溪堂）2019年
・国谷裕子（監修）『国谷裕子とチャレンジ！ 未来のためのSDGs 3「地球」に関するゴール』（文溪堂）2019年
・国谷裕子（監修）『国谷裕子とチャレンジ！ 未来のためのSDGs 4「平和」と「パートナーシップ」に関するゴール』（文溪堂）2019年
・国谷裕子（監修）『国谷裕子と考えるSDGsがわかる本』（文溪堂）2019年
・経済産業省「ESG投資」https://www.meti.go.jp/policy/energy_environment/global_warming/esg_investment.html
・経済産業省　資源エネルギー庁「日本のエネルギー2018」https://www.enecho.meti.go.jp/about/pamphlet/pdf/energy_in_japan2018.pdf
・警察庁「平成30年中における自殺の状況」https://www.npa.go.jp/safetylife/seianki/jisatsu/H30/H30_jisatunojoukyou.pdf
・警察庁「令和元年における少年非行、児童虐待 及び子供の性被害の状況　訂正版」https://www.npa.go.jp/safetylife/syonen/hikou_gyakutai_sakusyu/R1.pdf
・警察庁「令和元年の月別自殺者数について（12月末の暫定値）」https://www.npa.go.jp/safetylife/seianki/jisatsu/H31/R0112jisatu_zantei.pdf
・公益財団法人 水道技術研究センター「世界の生活用水使用量マップ」http://www.jwrc-net.or.jp/map/shiyouryou_map.html
・公益社団法人 日本ユネスコ協会連盟「身近なモノで支援する」https://www.unesco.or.jp/join/mono/
・厚生労働省「「外国人雇用状況」の届出状況まとめ」https://www.mhlw.go.jp/stf/newpage_09109.html
・厚生労働省「咳エチケット」https://www.mhlw.go.jp/stf/seisakunitsuite/bunya/0000187997.html

・厚生労働省「児童相談所虐待対応ダイヤル「189」について」https://www.mhlw.go.jp/stf/seisakunitsuite/bunya/kodomo/kodomo_kosodate/dial_189.html
・厚生労働省「平成28年 国民生活基礎調査の概況」https://www.mhlw.go.jp/toukei/saikin/hw/k-tyosa/k-tyosa16/dl/16.pdf
・厚生労働省「ホームレスの実態に関する全国調査（概数調査）結果について」https://www.mhlw.go.jp/stf/newpage_04461.html
・厚生労働省「令和元年賃金構造基本統計調査の概況」https://www.mhlw.go.jp/toukei/itiran/roudou/chingin/kouzou/z2019/dl/14.pdf
・厚生労働省「令和元年版 自殺対策白書 第1章 10 国際的に見た自殺の状況と外国人の自殺の状況 」https://www.mhlw.go.jp/wp/hakusyo/jisatsu/19/dl/1-10.pdf
・国際連合広報センター「持続可能な社会のために　ナマケモノにもできるアクション・ガイド（改訂版）」https://www.unic.or.jp/news_press/features_backgrounders/24082/
・国際労働機関「ILO新刊：世界の賃金上昇率は2008年以降で最低、女性の収入はいまだに男性の8割」https://www.ilo.org/tokyo/information/pr/WCMS_651078/lang--ja/index.htm
・国土交通省「国土交通白書 2015」http://www.mlit.go.jp/hakusyo/mlit/h26/hakusho/h27/pdf/np101200.pdf
・国土交通省「国土交通白書 第1章 我が国の経済と国土交通行政の関わり 第2節　経済動向とインフラ整備」http://www.mlit.go.jp/hakusyo/mlit/h27/hakusho/h28/pdf/np101200.pdf
・国土交通省「水資源問題の原因」http://www.mlit.go.jp/mizukokudo/mizsei/mizukokudo_mizsei_tk2_000021.html
・国土交通省「道路緊急ダイヤル（#9910）」https://www.mlit.go.jp/road/dia/
・国土交通省「令和元年版　日本の水資源の現況　第2章　水資源の利用状況」https://www.mlit.go.jp/common/001319366.pdf
・国土交通政策研究所「「地域消滅時代」を見据えた 今後の国土交通戦略のあり方について」https://www.mlit.go.jp/pri/kouenkai/syousai/pdf/b-141105_2.pdf
・小林富雄「産業化するフードバンクの分析―オーストラリアのケーススタディー」https://www.jstage.jst.go.jp/article/jsds/2019/44/2019_33/_pdf
・佐藤真久（監修）『未来の授業 私たちのSDGs探究BOOK』（宣伝会議）2019年
・参議院ODA調査派遣報告書「平成27年度参議院政府開発援助調査派遣報告書」https://www.sangiin.go.jp/japanese/kokusai_kankei/oda_chousa/h27/pdf/2-4.pdf
・産経新聞「水道民営化に根強い抵抗感　料金高騰、水質悪化…海外では暴動も」2018年11月4日 https://www.sankei.com/life/news/181104/lif1811040037-n1.html
・時事ドットコムニュース「女性役員不在の企業、支援せず　新規上場で―米ゴールドマン」2020年2月4日 https://www.jiji.com/jc/article?k=2020020400352&g=int
・水産庁・国立研究開発法人 水産研究・教育機構 研究推進部「国際漁業資源の現況　04　クロマグロ　太平洋」http://kokushi.fra.go.jp/H30/H30_04S.html
・政府広報オンライン「もったいない！食べられるのに捨てられる『食品ロス』を減らそう」https://www.gov-online.go.jp/useful/article/201303/4.html
・関龍彦編「SDGs 世界を変える、はじめかた。2020」『FRaU』第29巻第1号、2019年
・大和総研グループ「アメリカの救急車は有料」https://www.dir.co.jp/report/column/20140618_008642.html
・電通「SDGsコミュニケーションガイド」https://www.dentsu.co.jp/csr/team_sdgs/pdf/sdgs_communication_guide.pdf
・東京大学大学院教育学研究科附属心理教育相談室「第5回公開講座 自傷の背景とプロセス」http://www.p.u-tokyo.ac.jp/soudan/070nenpo/pdfs/2009-matsumoto.pdf
・独立行政法人 日本学生支援機構「平成28年度学生生活調査」https://www.jasso.go.jp/about/statistics/gakusei_chosa/__icsFiles/afieldfile/2018/06/01/data16_all.pdf
・内閣府「選択する未来 Q15　世界の中の日本経済の位置づけはどのようになっていますか」https://www5.cao.go.jp/keizai-shimon/kaigi/special/future/sentaku/s3_2_15.html
・日経ビジネス「「海の魚は5年で枯渇」養殖あるのみ」2017年10月6日 https://business.nikkei.com/atcl/interview/15/230078/100400106/
・日能研（編集）『SDGs（国連 世界の未来を変えるための17の目標）2030年までのゴール』（みくに出版）2017年
・日本ユニセフ協会『私たちがつくる持続可能な世界～SDGsをナビにして～ 2019年度版』
・日本経済新聞「クロマグロの管理を厳格に」2016年3月27日 https://www.nikkei.com/article/DGXKZO98926080X20C16A3PE8000/
・日本経済新聞「日本のGDPシェア、最低の5.7% 18年推計」2019年12月26日 https://www.nikkei.com/article/DGXMZO53839630W9A221C1EE8000/
・日本語版 Sankei Biz「貧困やテロの増長も、水不足がインドとパキスタンの新たな紛争の火種に」2019年5月12日 https://www.sankeibiz.jp/macro/news/190512/mcb1905120905003-n1.htm
・日本財団「不登校傾向にある子どもの実態調査」https://www.nippon-foundation.or.jp/app/uploads/2019/01/new_inf_201811212_01.pdf

・日本財団「2050年の海は、魚よりもごみが多くなるってホント？いま私たちにできる２つのアクション」https://www.nippon-foundation.or.jp/journal/2019/20107
・ニュースイッチ「よくわかるCOP21(2)先進国ＶＳ途上国激化、COP限界説を乗り越えて」2015年9月20日 https://newswitch.jp/p/2090
・認定NPO法人世界の子どもにワクチンを日本委員会「ペットボトルキャップ支援をはじめよう！」https://www.jcv-jp.org/donation/pbcap
・認定NPO法人世界の子どもにワクチンを日本委員会「わたしたちの活動」https://www.jcv-jp.org/activity
・沼田晶弘（監修）『SDGsぬまっち式アクション100　①学校編』（鈴木出版）2019年
・沼田晶弘（監修）『SDGsぬまっち式アクション100　②まち編』（鈴木出版）2019年
・沼田晶弘（監修）『SDGsぬまっち式アクション100　③家族編』（鈴木出版）2019年
・農林水産省「食品ロス量（平成29年度推計値）の公表について」https://www.maff.go.jp/j/press/shokusan/kankyoi/200414.html
・不登校新聞「中高生の1割が「自傷経験有」という日本の実情」『東洋経済オンライン』2019年9月17日 https://toyokeizai.net/articles/-/302851
・法務省「令和元年における難民認定者数等について」http://www.moj.go.jp/nyuukokukanri/kouhou/nyuukokukanri03_00004.html
・森千香子「「ホームグロウン・テロリズム」の社会学的背景　フランスにおけるマイノリティ差別とセグリゲーション」一橋大学ウェブマガジンHQ http://www.hit-u.ac.jp/hq-mag/research_issues/37_20180503/
・文部科学省「24時間子供SOSダイヤル」について https://www.mext.go.jp/ijime/detail/dial.htm
・ヤクルト「ヤクルトレディの歴史」https://www.yakult.co.jp/yakultlady/about/
・讀賣新聞「高度上空の核爆発で起きる「電気がない世界」の恐怖」2017年5月24日 https://www.yomiuri.co.jp/fukayomi/20170523-OYT8T50051/
・ヨミドクター「税と安心一体改革の行方(1)消費税25％、北欧は納得」2012年2月24日 https://yomidr.yomiuri.co.jp/article/20120224-OYTEW51621/
・労働者福祉中央協議会「「奨学金や教育費負担に関するアンケート調査」調査結果の要約」http://www.rofuku.net/CMS/wp-content/uploads/2019/03/b91ff18c02e840ae68b0adeec67790c8.pdf
・労働政策研究・研修機構「移民出身者が多い困窮都市地区で失業率が上昇─脆弱都市地区観測所報告」https://www.jil.go.jp/foreign/jihou/2011_11/france_01.html

〈マーク参考サイト〉

・ASCラベル 水産養殖管理協議会 https://www.asc-aqua.org/ja/
・FSCラベル FSCジャパン https://jp.fsc.org/jp-jp
・MSCラベル 海洋管理協議会 https://www.msc.org/jp/home
・WFTOのマーク　WFTO https://wfto.com/
・エコマーク 日本環境協会エコマーク事務局 https://www.ecomark.jp/
・国際シンボルマーク 日本障害者リハビリテーション協会 https://www.jsrpd.jp/
・国際フェアトレード認証ラベル フェアトレードジャパン https://www.fairtrade-jp.org
・身体障害者標識 内閣府 https://www8.cao.go.jp/shougai/mark/mark.html
・聴覚障害者標識 内閣府 https://www8.cao.go.jp/shougai/mark/mark.html
・ハート・プラスマーク ハート・プラスの会 https://www.normanet.ne.jp/~h-plus/
・避難場所などの図記号 日本規格協会 https://www.jsa.or.jp/
・避難場所などの図記号 日本標識工業会 http://signs-nsa.jp/
・ヘルプマーク 東京都福祉保健局 https://www.fukushihoken.metro.tokyo.lg.jp/shougai/shougai_shisaku/helpmark.html
・マタニティマーク 厚生労働省　https://www.mhlw.go.jp/stf/seisakunitsuite/bunya/kodomo/kodomo_kosodate/boshi-hoken/maternity_mark.html
・耳マーク 全日本難聴者・中途失聴者団体連合会 https://www.zennancho.or.jp/
・ユニバーサルデザインタクシーマーク 国土交通省 https://www.mlit.go.jp/index.html
・レッドカップキャンペーンマーク 国連世界食糧計画レッドカップキャンペーン https://www.jawfp.org/redcup/

【著者】たかまつなな

1993年、神奈川県横浜市生まれ。慶應義塾大学総合政策学部卒業、同大学院政策・メディア研究科、東京大学大学院情報学環教育部修了。学生時代にフェリス女学院出身のお嬢様芸人としてデビューし、「エンタの神様」「アメトーーク！」などに出演。日本テレビ「ワラチャン！」優勝。現在は漫才協会に所属し、寄席で社会風刺を行う。
その一方、お笑いジャーナリストとして、社会問題をお笑いを通して発信。株式会社笑下村塾を18歳選挙権をきっかけに設立し、出張授業「笑える！政治教育ショー」「笑って学ぶSDGs」などを全国の学校や企業、自治体に届ける。また、ネパールやカメルーン、バングラデシュなどで取材した経験をもとに、「SDGsババ抜きカードゲーム」も考案。さらに、「朝まで生テレビ！」「NHKスペシャル」などにも出演し、若者の政治意識の向上を訴える。最近では時事YouTuberとして、ニュースをわかりやすく配信するなど、幅広く活躍中。
高等学校教諭専修免許（公民）、中学校教諭専修免許（社会）などを所持。著書に『政治の絵本』（弘文堂）がある。

●株式会社笑下村塾ホームページ　https://www.shoukasonjuku.com/

【監修者】佐藤真久（さとう・まさひさ）

東京都市大学大学院環境情報学研究科教授。筑波大学第二学群生物学類卒業、同大学院修士課程環境科学研究科修了。2002年英国国立サルフォード大学にてPh.D.取得。地球環境戦略研究機関（IGES）研究員、ユネスコ・アジア文化センター（ACCU）国際教育協力シニア・プログラム・スペシャリストを経て、現職。また、UNESCO ESD-GAP（PN1: 政策）共同議長、IGESシニア・フェローなどを兼務。協働ガバナンス、社会的学習、中間支援機能などの地域マネジメント、組織論、学習・教育論の連関に関する研究を進めている。
著書に『ESD入門』（筑波書房）、『ソーシャル・プロジェクトを成功に導く12ステップ』（みくに出版）、『未来の授業　私たちのSDGs探究BOOK』（宣伝会議）、『SDGs時代のパートナーシップ』『SDGs時代の教育』（ともに学文社）など多数ある。

お笑い芸人と学ぶ13歳からのSDGs

2020年10月　1日　初版第1刷発行
2021年10月　4日　初版第6刷発行

著　者　たかまつなな
発行人　志村直人
発行所　株式会社くもん出版
〒108-8617　東京都港区高輪4-10-18　京急第1ビル13 F
TEL　03-6836-0301（代表）　03-6836-0317（編集）　03-6836-0305（営業）
ホームページ　https://www.kumonshuppan.com/
印刷・製本　三美印刷株式会社

監修　佐藤真久
装幀・本文デザイン　神長文夫＋柏田幸子
イラスト　小豆だるま
組版・図版作成　株式会社スプーン
校正・校閲　株式会社鷗来堂
特別協力　一般社団法人エシカル協会　中村俊佑　堀江理砂　松倉紗野香
水俣市立水俣病資料館　山脇学園中学校・高等学校　株式会社笑下村塾

ISBN 978-4-7743-3094-5

CD34613